中華國學經典百部

精華本

三字经 百家姓
千字文 弟子规

［宋］王应麟等 著

焦亮 译注

中国书店

图书在版编目（CIP）数据

三字经·百家姓·千字文·弟子规 /（宋）王应麟等著；焦亮译注 .—北京：中国书店，2023.10

（中华国学经典百部：精华本）

ISBN 978-7-5149-2963-8

Ⅰ .①三… Ⅱ .①王… ②焦… Ⅲ .①古汉语—启蒙读物 Ⅳ .① H194.1

中国版本图书馆 CIP 数据核字（2022）第 075440 号

三字经 百家姓 千字文 弟子规

〔宋〕王应麟等 著 焦亮 译注

责任编辑：杨宇

出版发行：中国书店

地　　址：北京市西城区琉璃厂东街 115 号

邮　　编：100050

电　　话：（010）63171753（总编室）

（010）63017857（发行部）

印　　刷：三河市嘉科万达彩色印刷有限公司

开　　本：787mm × 1092mm　1/32

版　　次：2023 年 10 月第 1 版第 1 次印刷

字　　数：88 千

印　　张：6（全 300）

书　　号：ISBN 978-7-5149-2963-8

定　　价：1490.00 元（全 50 册）

前言

一个人在孩提时期所受的教育，对他以后各种观念的形成、发展将起到举足轻重的作用。一个人在成长过程中，尽管会一一习得关于基本伦理、处世原则、善恶判断等方面的知识，但“人之初”时所形成的印象是最深刻的。因此，好的启蒙教育对一个人来说至关重要。

到目前为止，最能让孩子接受，并且内容能够对孩子起到良好启迪作用的启蒙读物，莫过于中华民族的传统经典，如《三字经》《百家姓》《千字文》《弟子规》等，它们是千百年来广为流传的传世典籍。尽管只是薄薄的一册书，里面却蕴含着丰富的文化内涵。书中的每个字、每句话，都是历经千百年沉淀的中华民族的智慧。许许多多的名人、大家就是读着这样的书长大的。一个中国人，不论在何时何地，不管他受到什么样的教育，也不管他是领导还是普通老百姓，永远都会记得“人之初，性本善。性相近，习相远……”。

本着弘扬我国优秀传统文化、力争为广大儿童提供最好的蒙学读物的精神，我们编写了本书，将《三字经》《百家姓》《千字文》《弟子规》这四部广为流传的经典书籍收入其中。在编写过程中，我们选取了通行本中最常见的一种，再参考其他版本的资料，做到权威性与普适性的有机结合。

针对孩子注意力不集中的年龄特点，本书在遵循原文的基础上，增加了“拼音”“注释”“译文”等辅助性文字，融入了精当的说明和点评。在给每个文本注释时，我们并不做烦琐的引证，而是结合孩子的特点，用平实易懂的语言来做讲解。并且在后面加入了与原文相关的小故事和知识拓展板块，增加了本书的趣味性，使孩子能够在品味经典的同时读到精彩的故事，并能开阔视野，增知识。

读圣贤书，立君子品，做厚德人，一直都是每一个龙的传人始终如一的追求，本书就是以此为出发点，希望帮助每个孩子迈出走向辉煌明天的第一步。

这里有“人之初，性本善”的循循善诱，这里有“天地玄黄，宇宙洪荒”的美丽传说，这里有“赵钱孙李，周吴郑王”的铿锵音韵，这些睿智的文字告诉了我们做人的道理，向我们展示了人类的美好品德，在给我们以智慧启迪的同时，又给我们以心灵的享受。通过本书，我们可以发现人类的普世价值，可以发现真、善、美。它们的光芒不会因为时间的流逝而暗淡，相反，越是经过岁月的淘洗，它们的光辉越是耀眼。

目录

三字经

〔南宋〕王应麟等

rén zhī chū, xìng běn shàn.
人之初，性本善。①

xìng xiāng jìn, xí xiāng yuǎn.
性相近，习相远。②

【注释】

①初：初始。性：天性，指人天生就有的禀性。

②性：性情。习：习惯。

【译文】

人刚生下来的时候，本性都是善良的。人的本性原本是相近的，只是后天所处的环境不同使得他们的习惯相差甚远。

gǒu bù jiào, xìng nǎi qiān.
苟不教，性乃迁。①

jiào zhī dào, guì yǐ zhuān.
教之道，贵以专。②

【注释】

①苟：如果。乃：于是。迁：变化。

②道：方法，道理。专：专一，专注。

【译文】

如果不进行教育，人的性情就会发生变化。教育的方法，贵在专一。

xī mèng mǔ，zé lín chǔ。

昔孟母，择邻处。①

zǐ bù xué，duàn jī zhù。

子不学，断机杼。②

【注释】

①择：选择。处：居住。

②子：即孟子。机杼：织布机上用于牵引纬线的梭子。

【译文】

从前，孟子的母亲为了给孟子提供一个良好的学习环境，搬了三次家。她看到孟子不努力学习，就生气地剪断了织布机上的布，以此来教育、激励孟子好好学习。

dòu yān shān，yǒu yì fāng。

窦燕山，有义方。①

jiào wǔ zǐ，míng jù yáng。

教五子，名俱扬。②

【注释】

①窦燕山：指五代时期的窦禹钧，他是蓟州（今天津蓟州区）人，古属燕国地域，地处燕山一带，所以称他为窦燕山。义方：这里指教育子女的正确方法。

②俱：全，都。

【译文】

五代时燕山的窦禹钧，教子有方。他教养的五个儿子相继都考中了进士，成为国家的栋梁之材，美名远扬。

yǎng bù jiào，fù zhī guò。
养不教，父之过。①

jiào bù yán，shī zhī duò。
教不严，师之惰。②

【注释】

①养：抚养。过：过失，过错。

②严：严格。惰：懈怠，这里指失职。

【译文】

生养儿女而不进行教育，这是做父亲的过错。对学生进行教育，但不严格要求，这是做教师的失职。

zǐ bù xué，fēi suǒ yí。
子不学，非所宜。①

yòu bù xué，lǎo hé wéi？
幼不学，老何为？②

【注释】

①宜：应当，应该。

②幼：年少时。何为：有什么作为和出息。

【译文】

孩子不学习，是不应该的。一个人如果小时候不好好学习，老了又能有什么作为呢？

yù bù zhuó，bù chéng qì。

玉不琢，不成器。①

rén bù xué，bù zhī yì。

人不学，不知义。②

【注释】

①玉：美玉。琢：打磨雕刻玉石，使成器物。器：器物。

②义：义理，道理。

【译文】

玉石不经过雕琢、打磨，就不能制成精美的玉器。人不通过努力学习，就不会懂得做人的道理。

wéi rén zǐ，fāng shào shí。

为人子，方少时。①

qīn shī yǒu，xí lǐ yí。

亲师友，习礼仪。②

【注释】

①为：做。方：正当。

②亲：亲近。习：学习。

【译文】

为人子弟，年少的时候，就应当亲近良师，结交益友，学习为人处世的礼节和知识。

xiāng jiǔ líng，néng wēn xí。
香九龄，能温席。①

xiào yú qīn，suǒ dāng zhí。
孝于亲，所当执。②

【注释】

①香：指黄香，东汉时人，以孝行闻名。温：使……变得温暖。

②亲：父母亲。执：做到。

【译文】

黄香九岁的时候就懂得孝敬父母，在严寒的冬天，先用身体温暖父亲的枕席后，再请父亲就寝。孝敬父母，是做儿女应当做到的。

róng sì suì，néng ràng lí。
融四岁，能让梨。①

dì yú zhǎng，yí xiān zhī。
弟于长，宜先知。②

【注释】

①融：指东汉学者孔融。

②先：趁早。知：知道。

【译文】

孔融四岁的时候，就知道要把大的梨子让给哥哥吃。尊敬和友爱兄长的道理，是每个人从小就应该知道的。

shǒu xiào tì，cì jiàn wén。

首孝弟，次见闻。①

zhī mǒu shù，shí mǒu wén。

知某数，识某文。②

【注释】

①首：首先。孝：孝敬父母。弟：通“悌”（tì），尊敬兄长。

②某：指代一定的或不确定的人或事物。文：文字。

【译文】

做人首先要学的是孝敬父母、尊敬兄长的道理，接下来是增长见闻。要知道基本的算术，以及认识一些文字。

yī ér shí，shí ér bǎi。

一而十，十而百。①

bǎi ér qiān，qiān ér wàn。

百而千，千而万。

【注释】

①一：数之始。十：数之终。

【译文】

数字从一开始，十个一为十，十个十为百，十个百为千，十个千为万。

sān cái zhě tiān dì rén
三才者，天地人。①

sān guāng zhě rì yuè xīng
三光者，日月星。②

【注释】

①三才：指天才、地才、人才。

②三光：指日光、月光、星光。

【译文】

古书上所指的三才，是指天、地、人。古书上所说的三光，是指太阳、月亮和星星。

sān gāng zhě jūn chén yì
三纲者，君臣义。①

fù zǐ qīn fū fù shùn
父子亲，夫妇顺。②

【注释】

①纲：纲领，法则。“三纲”一词出自班固所著《白虎通义》。三纲者：君为臣纲，父为子纲，夫为妻纲。

②亲：父子天性。顺：和顺，顺从。

【译文】

古书上所说的三纲，是指君臣之间有忠爱之意，臣子服从国君；父子之间有天性之亲，子女服从父母；夫妇之间有和顺之义，妻子顺从丈夫。

yuē chūn xià，yuē qiū dōng。①
曰春夏，曰秋冬。①

cǐ sì shí，yùn bù qióng。②
此四时，运不穷。②

【注释】

①曰：说，谈到。

②时：季节。运：运行。不穷：没有穷尽。

【译文】

春天、夏天、秋天、冬天是一年的四个季节，这四个季节循环交替，运行不止，无穷无尽。

yuē nán běi，yuē xī dōng。①
曰南北，曰西东。①

cǐ sì fāng，yìng hū zhōng。②
此四方，应乎中。②

【注释】

①南北、西东：四方的方向。

②应：相应，照应。中：南北西东四个方向的聚合点称为中，指中央。

【译文】

南方、北方、西方、东方是四面的方位，这四个方位都是与中央点相对应而确定的。

yuē shuǐ huǒ，mù jīn tǔ。①
曰水火，木金土。①

cǐ wǔ xíng，běn hū shù。②
此五行，本乎数。②

【注释】

①水火、木金土：古人所说的五行。五行学说的核心内容就是生克平衡。五行的相生：金生水，水生木，木生火，火生土，土生金。五行的相克：金克木，木克土，土克水，水克火，火克金。

②本：根本。数：天理。

【译文】

水火木金土就是五行，它是万事万物的根本，是由天理所决定的。

yuē rén yì，lǐ zhì xìn。①
曰仁义，礼智信。①

cǐ wǔ cháng，bù róng wěn。②
此五常，不容紊。②

【注释】

①仁：爱心。义：应当做的事。礼：礼节。智：有才识而明道理。信：信用。

②常：天道之常。紊：紊乱。

【译文】

仁、义、礼、智、信是做人的五条准则，这五条准则要遵守，不容许疏忽紊乱。

dào liáng shū，mài shǔ jì。①

稻梁菽，麦黍稷。

cǐ liù gǔ，rén suǒ shí。②

此六谷，人所食。

【注释】

①稻：禾本科植物，连皮叫稻，去皮叫米。粱：比粟米稍大，有青、黄、白三种。菽：豆的总称。麦：麦子。黍：黍米，有红、白、黄、黑四种，能酿酒。稷：高粱。

②谷：谷物的总称。

【译文】

稻、粱、菽、麦、黍、稷是六种粮食，是人们的主要食物。

mǎ niú yáng，jī quǎn shǐ。①

马牛羊，鸡犬豕。

cǐ liù chù，rén suǒ sì。②

此六畜，人所饲。

【注释】

①豕：猪。

②畜：受人类饲养的禽兽。饲：饲养，喂养。

【译文】

马、牛、羊、鸡、犬、猪是六畜，是人类饲养的家畜。

yuē xǐ nù yuē āi jù
曰喜怒，曰哀惧。①

ài wù yù qī qíng jù
爱恶欲，七情具。②

【注释】

①喜：快乐，高兴。怒：生气。哀：忧伤。惧：害怕。

②爱：倾慕，喜欢。恶：憎恶。欲：欲望，欲念。具：具备。

【译文】

高兴、生气、忧伤、害怕、倾慕、憎恶、欲念，是人类与生俱来的七种情感。

páo tǔ gé mù shí jīn
匏土革，木石金。①

sī yǔ zhú nǎi bā yīn
丝与竹，乃八音。②

【注释】

①匏：匏瓠（hù），类似葫芦，古代常用匏瓠做乐器。土：这里指埙（xūn），有六孔。革：皮革，指鼓。

木：木器，可以做敔、柷。石：玉石，可以做磬。金：指铜锣、铜鼓。

②丝：指琵琶琴瑟之类的乐器。竹：指笛子、管龠（yuè）。

【译文】

用匏、土、皮革、木头、石头、金属、丝、竹这八种材料为主要原料制成的八种乐器，叫“八音”。

gāo zēng zǔ，fù ér shēn。①
高曾祖，父而身。

shēn ér zǐ，zǐ ér sūn。②
身而子，子而孙。

【注释】

①自身以上称父，父之父称祖，祖之父称曾，曾之父称高。

②自己以下称子，子之子称孙。

【译文】

由高祖、曾祖、祖父、父亲到自己，由自己到儿子，儿子至孙子。

zì zǐ sūn，zhì xuán zēng。①
自子孙，至玄曾。

nǎi jiǔ zú，rén zhī lún。②
乃九族，人之伦。

【注释】

①孙之子称曾孙，曾孙之子称玄孙。

②九族：从高祖到玄孙共九世。伦：指长幼尊卑的秩序。

【译文】

高祖父、曾祖父、祖父、父亲、自己、儿子、孙子、曾孙、玄孙，这是“九族”，是人的长幼尊卑秩序。

fù zǐ ēn，fū fù cóng。
父子恩，夫妇从。①

xiōng zé yǒu，dì zé gōng。
兄则友，弟则恭。②

zhǎng yòu xù，yǒu yǔ péng。
长幼序，友与朋。③

jūn zé jìng，chén zé zhōng。
君则敬，臣则忠。④

cǐ shí yì，rén suǒ tóng。
此十义，人所同。

【注释】

①从：顺从，服从。

②友：友爱。恭：恭敬。

③序：次序，秩序。

④敬：敬重，尊重。忠：忠诚。

【译文】

儿子要报答父母的恩情，妻子要顺从自己的丈夫，哥哥对弟弟要友爱，弟弟对哥哥要恭敬。长辈和晚辈之间要注意尊卑的次序，朋友之间要注意守信用和讲义气，君主对大臣要敬重，臣下对君主要忠诚。这十种大义，人们都应当共同遵守。

fán xùn méng，xū jiǎng jiū。
凡训蒙，须讲究。①

xiáng xùn gǔ，míng jù dòu。
详训诂，名句读。②

【注释】

①训：训诫，教诲。蒙：指草之初生，比喻幼小的小孩。讲：讲解。究：探究，考究。

②训诂：对古代词语的解释。句读：一句为句，半句为读，指文章中应停顿断句的地方。

【译文】

凡是教诲小孩读书，必须讲解义理，探究实事，既要详细解释字词意义，又要说明应在何处停顿断句。

wéi xué zhě，bì yǒu chū。
为学者，必有初。①

xiǎo xué zhōng，zhì sì shū。
《小学》终，至四书。②

【注释】

①初：开头。

②小学：指宋人朱熹编写的《小学》，其讲述洒扫、应对、进退之节，学其礼、乐、射、御、书、数之文，知其事亲敬长之理。四书：《大学》《中庸》《论语》《孟子》这四部书的合称。

【译文】

致力读书学习的人，必定有一个开头。开始要学习朱熹编写的《小学》，然后再学习《大学》《中庸》《论语》《孟子》这四部书。

《论(lún)语(yǔ)》者(zhě)，二(èr)十(shí)篇(piān)。①
群(qún)弟(dì)子(zǐ)，记(jì)善(shàn)言(yán)。

【注释】

①《论语》：儒家著作。此书内容是孔子在鲁国与弟子论学、论治、论礼、论乐。分为二十篇，都是孔子的弟子们记载的善言。

【译文】

《论语》这部书，共有二十篇。都是孔子的弟子们记载的有关孔子一生的嘉言高论。

mèng zǐ zhě qī piān zhǐ
《孟子》者，七篇止。①

jiǎng dào dé shuō rén yì
讲道德，说仁义。

【注释】

①《孟子》：孟子所著儒家经典。孟子名轲。儒家代表人物。孟子游于齐、梁列国，不能大行其主张。退居邹国，与门徒讲说道德仁义，作《孟子》七篇。

【译文】

《孟子》这部书是由孟轲所著，一共有七篇，核心内容是阐发道德和仁义。

zuò zhōng yōng zǐ sī bǐ
作《中庸》，子思笔。①

zhōng bù piān yōng bù yì
中不偏，庸不易。②

【注释】

①《中庸》：书名，儒家经典。子思：孔子之孙，孔鲤之子。作《中庸》一书，由其门人授予孟子。《中庸》一书，共三十三篇。

②偏：偏差。易：改变。

【译文】

著述《中庸》的，是孔子的孙子孔伋（jí）。“中”即不偏不倚，“庸”就是永远不变。

zuò dà xué nǎi zēng zǐ

作《大学》，乃曾子。①

zì xiū qí zhì píng zhì

自修齐，至平治。

【注释】

①《大学》：书名，儒家经典。曾子：姓曾，名参，字子舆。曾子曾受业于孔子。作《大学》一书，俱述孔子之言，分为十章、三纲领、八条目。三纲领是“在明明德，在亲民，在止于至善”。八条目是“格物、致知、诚意、正心、修身、齐家、治国、平天下”。

【译文】

著述《大学》的，是曾子。文章的内容是论述提高自身道德修养、管理家庭直至治理国家、平定天下的方法和道理。

xiào jīng tōng sì shū shú

《孝经》通，四书熟。①

rú liù jīng shǐ kě dú

如六经，始可读。②

【注释】

①《孝经》：书名，共十八章，乃孔子所作以明孝道之书。四书：南宋理学家朱熹将《大学》《中庸》《论语》《孟子》详加注释而成一书，称《四书集注》。

②六经：指《诗》《书》《易》《乐》《礼》《春秋》。

【译文】

读通了《孝经》，读熟了四书，才能读像六经这样深奥的书。

shī shū yì
《诗》《书》《易》，
lǐ chūn qiū
《礼》《春秋》。①
hào liù jīng dāng jiǎng qiú
号六经，当讲求。②

【注释】

①《诗》《书》《易》《礼》《春秋》：指上句所说的六经。其中《乐经》已亡佚，称为五经。

②号：号称，叫作。

【译文】

《诗经》《尚书》《易经》《礼记》《春秋》号称“六经”，应当认真研究阅读。

yǒu lián shān yǒu guī cáng
有《连山》，有《归藏》。①
yǒu zhōu yì sān yì xiáng
有《周易》，三易详。②

【注释】

①《连山》：又叫《连山易》，相传是夏代的《易经》。《归藏》：又叫《归藏易》，相传是商代的《易经》。

②《周易》：周代的《易经》。三易：以上三部书合称为“三易”。

【译文】

《易经》有三种：《连山》《归藏》《周易》。

yǒu diǎn mó, yǒu xùn gào.
有典谟，有训诰。①

yǒu shì mìng, shū zhī ào.
有誓命，《书》之奥。②

【注释】

①典：记载典章制度的文体。谟：指记载大臣谋士为君王建言献策的事迹和言辞的文体。训：指记载贤臣劝诫君王言辞的文体。诰：指记载君王政绩通告的文体。

②誓：指记载人君出师打仗告诫将士言辞的文体。命：记载君主给大臣发布的命令的文体。《书》：指《尚书》。奥：深奥。

【译文】

《尚书》是指上古到西周的文献汇集，义理深奥，它的篇章名目繁多，有“典”“谟”“训”“诰”“誓”“命”等。

wǒ zhōu gōng, zuò zhōu lǐ.
我周公，作《周礼》。①

zhù liù guān, cún zhì tǐ.
著六官，存治体。②

【注释】

①周公：周文王的第四子，姓姬名旦。《周礼》：书名，周公著。

②六官：周公根据当时需要，将官制分为六种：吏部天官，大冢宰；户部地官，大司徒；礼部春官，大宗伯；兵部夏官，大司马；刑部秋官，大司寇；工部冬官，大司空。

【译文】

西周时周公写了《周礼》，记载了朝廷设立的天官、地官、春官、夏官、秋官、冬官等部门的情况，保存了当时的有关制度。

dà xiǎo dài，zhù《lǐ jì》。

大小戴，注《礼记》。①

shù shèng yán，lǐ yuè bèi。

述圣言，礼乐备。②

【注释】

①大小戴：大戴是指戴德，小戴是指戴圣，戴圣是戴德的侄子。他们是汉代大儒。注：注解，注释。《礼记》：书名，有两种，戴德所编称《大戴礼》，共八十五篇，戴圣所编称《小戴礼》，共四十九篇。

②备：齐备。

【译文】

“大戴”戴德和“小戴”戴圣都曾汇编《礼记》并做注解，记述了圣人的语言，详细记载了上古的礼乐制度。

yuē guó fēng，yuē《yǎ》《sòng》。①
曰国风，曰《雅》《颂》。①

hào sì shī，dāng fěng yǒng。②
号四诗，当讽咏。②

【注释】

①国：诸侯国。风：民间歌谣。《雅》：正乐之歌。其中《雅》又分为《大雅》和《小雅》。《颂》：宗庙祭祖的乐歌。

②四诗：《风》《大雅》《小雅》《颂》合称为四诗。讽：诵读。

【译文】

《诗经》分为《风》《大雅》《小雅》《颂》四个部分，所以《诗经》号称“四诗”，应当诵读吟唱。

《shī》jì wáng，《chūn qiū》zuò。①
《诗》既亡，《春秋》作。①

yù bāo biǎn，bié shàn è。
寓褒贬，别善恶。

【注释】

①亡：衰亡。《春秋》：记载鲁国历史的书籍。

【译文】

《诗经》在传世过程中其大义渐渐被人遗忘，孔子于是修订了《春秋》这部史书，他将对历史人物的褒贬寓于史实的记载中，以便人们区分善恶。

sān zhuàn zhě，yǒu gōng yáng。①
三传者，有公羊。

yǒu zuǒ shì，yǒu gǔ liáng。②
有左氏，有穀梁。

【注释】

①传：注释经义的文字叫传，凡是圣人的著作称经，贤人的著作叫传。公羊：指公羊高，鲁国人，作《春秋传》一册，称为《公羊传》。

②左氏：左丘明，作《春秋传》一册，称为《左传》。穀梁：指穀梁赤，作《春秋传》一册，称为《穀梁传》。

【译文】

对《春秋》加以注释发挥的史书有公羊高的《公羊传》、左丘明的《左传》、穀梁赤的《穀梁传》，合称为“春秋三传”。

jīng jì míng，fāng dú zǐ。①
经既明，方读子。

cuō qí yào，jì qí shì。②
撮其要，记其事。

【注释】

①方：才。子：指诸子百家的著作。

②撮：撮取。

【译文】

经书全部读懂后，才能读诸子百家的著作。读这些书时要注意归纳其中的要点，记住其中的内容。

wǔ zǐ zhě，yǒu xún yáng。①
五子者，有荀扬。

wén zhōng zǐ，jí lǎo zhuāng。②
文中子，及老庄。

【注释】

①荀：荀子，战国时赵国人，作《荀子》上、下两篇。扬：扬子，名雄，汉成都人，作《太玄经》《法言》二书。

②文中子：姓王名通，隋龙门人，作《元经》《中说》二书。老子：姓李名耳，春秋时期人，作《道德经》。庄子：名周，宋国蒙人，作《南华经》。

【译文】

子书中的“五子”是指荀卿的《荀子》、扬雄的《法言》、王通的《中说》、李耳的《道德经》和庄周的《庄子》。

jīng zǐ tōng, dú zhū shǐ
经子通，读诸史。①

kǎo shì xì, zhī zhōng shǐ
考世系，知终始。②

【注释】

①史：指史书。

②世系：一姓相承的统系叫世系。

【译文】

经书和子书通晓了，就读各种史书，从中考察各个国朝的世代系统，了解历史事件的始末。

zì xī nóng, zhì huáng dì
自羲农，至黄帝。①

hào sān huáng, jū shàng shì
号三皇，居上世。

【注释】

①羲：伏羲氏，风姓，号太昊。始画八卦，造琴瑟，教嫁娶，作书契，代结绳，造网罟（gǔ），教佃渔。农：神农氏，姜姓，号炎帝。其兴货利，制耒耜，尝百草，作

医书，种五谷。黄帝：姓姬，名轩辕，其作甲子，造律吕、货币、舟车、宫室。

【译文】

从伏羲、神农到黄帝，他们三人号称“三皇”，三皇都是上古社会的皇帝。

táng yǒu yú hào èr dì
唐有虞，号二帝。①
xiāng yī xùn chēng shèng shì
相揖逊，称盛世。

【注释】

①唐：唐尧，姓伊祁，帝喾（kù）之子，名放勋。生一子，名丹朱，因丹朱不肖，始禅位于舜。虞：虞舜，颛顼（zhuān xū）六代孙，姓姚，名重华。生子名商均，因商均不肖，禅位于禹。

【译文】

唐尧和虞舜号称“二帝”，他们相互退让帝位，他们统治的时代被称为太平盛世。

xià yǒu yǔ shāng yǒu tāng
夏有禹，商有汤。①
zhōu wén wǔ chēng sān wáng
周文武，称三王。②

【注释】

①夏：国号。禹：姓姒（sì），受虞舜禅让继承帝位，国号为夏。商：国号。汤：汤王，姓子，推翻夏朝，改国号为商。

②周文武：文王姓姬名昌，武王是文王的儿子，名发，推翻商朝，追尊其父为周文王。

【译文】

夏朝的开国君主叫禹，商朝的开国君主叫汤，周朝的开国君主称周武王。他们号称“三王”。

xià chuán zǐ jiā tiān xià
夏传子，家天下。①

sì bǎi zǎi qiān xià shè
四百载，迁夏社。

【注释】

①尧舜二帝不传子而传贤，就是公天下。夏禹王不传贤而传子，就是家天下。

【译文】

从夏禹王开始将帝位不传给贤人而传给儿子，使天下成为一家的天下。夏朝延续了四百年，在桀王时灭亡。

tāng fá xià, guó hào shāng。①
汤 伐 夏，国 号 商。①

liù bǎi zǎi, zhì zhòu wáng。②
六 百 载，至 纣 亡。②

【注释】

①夏：夏桀王，夏朝的最后一位皇帝。

②纣：殷纣王，商朝的最后一位君主。

【译文】

汤王讨伐夏桀王而推翻了夏朝，建立新国号称商。前后立国六百年，到纣王时灭亡。

zhōu wǔ wáng, shǐ zhū zhòu。①
周 武 王，始 诛 纣。①

bā bǎi zǎi, zuì cháng jiǔ。
八 百 载，最 长 久。

【注释】

①周武王：因为商纣无道，诛伐纣而得天下，建都镐京，国号为周。

【译文】

周武王杀掉商纣王建立周朝，周朝享国约八百年，是所有王朝中最长久的。

zhōu zhé dōng, wáng gāng zhuì。①
周 辙 东，王 纲 坠。①

chěng gān gē shàng yóu shuì

逞干戈，尚游说。②

【注释】

①逞：显示，炫耀。干戈：干是盾牌，戈是矛戟，干戈比喻军事或武力。

②尚：推崇。

【译文】

周朝自从周平王把都城从西北的镐京东迁洛阳之后，就纲纪不修，各诸侯国不听周王命令互相发动战争，说客们用各种主张到处游说而受到欢迎。

shǐ chūn qiū zhōng zhàn guó

始春秋，终战国。①

wǔ bà qiáng qī xióng chū

五霸强，七雄出。②

【注释】

①春秋：时代名称，从公元前770年到公元前476年称为春秋时代。战国：时代名称，从公元前475年到公元前221年称为战国时代。

②五霸：齐桓公、晋文公、秦穆公、宋襄公、楚庄王。七雄：齐、楚、燕、韩、赵、魏、秦七国。

【译文】

从春秋开始，到战国结束，五个较强大的诸侯互相争霸，七个较强大的诸侯国称雄。

yíng qín shì shǐ jiān bìng
嬴秦氏，始兼并。①
chuán èr shì chǔ hàn zhēng
传二世，楚汉争。②

【注释】

①嬴秦氏：姓嬴，名政，吞并六国后称秦始皇。

②二世：名胡亥，秦始皇的儿子。楚：楚霸王，姓项，字羽，自号西楚霸王。汉：汉高祖，姓刘，名邦。

【译文】

秦王嬴政吞并六国统一天下，建立了秦王朝。然而只传到他儿子二世皇帝胡亥时就被推翻，西楚霸王项羽和汉王刘邦开始争夺天下。

gāo zǔ xīng hàn yè jiàn
高祖兴，汉业建。
zhì xiào píng wáng mǎng cuàn
至孝平，王莽篡。①

【注释】

①孝平：孝平帝。汉哀帝的儿子在位五年，王莽假效周公摄政，置毒酒而弑之。王莽：汉元帝王皇后之侄，官至大司马，杀害了汉平帝，自立为皇帝，改国号为新。

【译文】

汉高祖刘邦兴起，建立了汉朝的基业，传到孝平帝时，政权被王莽篡夺。

guāng wǔ xīng，wéi dōng hàn。①
光武兴，为东汉。
sì bǎi nián，zhōng yú xiàn。②
四百年，终于献。

【注释】

①光武：光武帝刘秀，刘邦的第九世孙。东汉：光武建立的汉朝为东汉。

②献：汉献帝，汉朝最后一位皇帝。献帝时，群雄蜂起。曹操入朝，迁帝于许，自擅汉权，杀死了皇后及皇子，曹操的儿子曹丕废帝为山阳公，东汉灭亡。

【译文】

汉光武消灭王莽中兴汉朝，称为东汉。汉朝包括西汉、东汉两个时期，共四百多年，在汉献帝时灭亡。

wèi shǔ wú，zhēng hàn dǐng。①
魏蜀吴，争汉鼎。
hào sān guó，qì liǎng jìn。②
号三国，迄两晋。

【注释】

①魏：指魏主曹丕，曹操的儿子。曹丕称帝时国号为魏。蜀：刘备称帝时国号。吴：孙权称帝时国号。鼎：传国的实物，象征皇位。

②迄：完结，终止。两晋：东晋和西晋。

【译文】

曹操的魏国、刘备的蜀国、孙权的吴国，互相争夺汉朝的天下，这个时代号称三国时代。司马炎灭掉魏国建立了晋朝，晋朝又分为西晋和东晋。

sòng qí jì，liáng chén chéng。

宋齐继，梁陈承。①

wéi nán cháo，dū jīn líng。

为南朝，都金陵。②

【注释】

①宋：宋高祖刘裕，仕东晋有功，封宋公，又晋爵宋王，于是废恭帝篡位为帝。齐：齐高祖，萧道成。屡建功，封齐王，于是废顺帝篡位为帝。梁：梁武帝萧衍建立的梁。陈：陈武帝名霸先，字兴国，梁朝封为陈王，建立陈朝。

②金陵：今南京。

【译文】

刘裕建宋朝，接着被萧道成建立的齐朝所代

替，然后是萧衍建立的梁朝和陈霸先建立的陈朝，这四个王朝统称“南朝”，他们都将京城设在金陵。

běi yuán wèi，fēn dōng xī。
北元魏，分东西。①

yǔ wén zhōu，yǔ gāo qí。
宇文周，与高齐。②

【注释】

①北元魏：北魏至孝文帝时，因仰慕中国文化，改姓为元，称北元魏。

②宇文周：北周闵帝，名觉，宇文泰世子。篡夺西魏恭帝位自立，国号周。高齐：北齐文宣帝，姓高，名洋，因此称高齐。

【译文】

当时在中国的北方还有个北朝叫元魏，后来又分为东魏和西魏。东魏又被后来的北周宇文氏灭亡，西魏被北齐高洋所取代。

dài zhì suí，yī tǔ yǔ。
迨至隋，一土宇。①

bù zài chuán，shī tǒng xù。
不再传，失统绪。②

【注释】

①迨：等到。隋：隋朝。一：统一。

②统绪：世系。

【译文】

等到隋文帝杨坚兴起，消灭了南方的陈朝和北方的周朝，统一了天下，建立了隋朝。隋文帝的帝位只传了一代，就失去了帝统。

táng gāo zǔ，qǐ yì shī。①
唐高祖，起义师。

chú suí luàn，chuàng guó jī。②
除隋乱，创国基。

【注释】

①唐高祖：指唐朝开国皇帝李渊。义师：仁义之师。

②创：创立，开创。国基：国家的基业。

【译文】

唐高祖李渊兴起义兵，推翻了隋炀帝的统治，扫除天下之乱，开创了唐王朝的基业。

èr shí chuán，sān bǎi zǎi。①
二十传，三百载。

liáng miè zhī，guó nǎi gǎi。②
梁灭之，国乃改。

【注释】

①唐朝共传了二十代，共二百八十九年。

②梁：后梁太祖朱温。曾在唐昭宗时做官，封梁王。他废除昭宗而篡夺天下，改国号为梁。

【译文】

唐朝共传了二十代，立国将近三百年。后被梁王朱温篡位，建立了后梁。

liáng táng jìn，jí hàn zhōu。
梁唐晋，及汉周。①
chēng wǔ dài，jiē yǒu yóu。
称五代，皆有由。

【注释】

①梁：后梁太祖朱温，篡夺唐朝天下，建立梁朝。唐：后唐庄宗李存勖（xù），消灭后梁当了皇帝，国号为唐。晋：晋高祖姓石名敬瑭，篡夺后唐而拥有天下，国号为晋。汉：后汉高祖刘知远，侵入中原，当了皇帝，国号为晋，后来改为汉。周：周太祖姓郭名威，篡汉当了皇帝，国号为周。

【译文】

后梁、后唐、后晋、后汉、后周这五个朝代统称为“五代”，它们的建立都各有由来。

yán sòng xīng，shòu zhōu shàn。
炎宋兴，受周禅。①
shí bā chuán，nán běi hùn。
十八传，南北混。②

【注释】

①炎宋：北宋太祖赵匡胤（yìn），曾随周世宗南征北伐。契丹入寇，以兵御之，陈桥兵变，黄袍加身。以火德王，国号宋，故称炎宋。禅：禅让。

②南北：南宋和北宋。

【译文】

宋王朝兴起，接受了后周的让位。宋朝共传了十八代，分为北宋和南宋。

liáo yǔ jīn，dì hào fēn。
辽与金，帝号纷。①
dài miè liáo，sòng yóu cún。
迨灭辽，宋犹存。

【注释】

①辽：北朝辽太祖，姓耶律，名阿保机。国号契丹，又改称辽。金：北朝金太祖，姓完颜，名阿骨打，称帝后，初号女真，又改称金。

【译文】

与宋朝同时存在的有北方的辽国与金国，其各自首领也都号称皇帝。等到金国消灭辽国时，宋朝仍然存在。

zhì yuán xīng, jīn xù xiē
至元兴，金绪歇。①
yǒu sòng shì, yī tóng miè
有宋世，一同灭。

【注释】

①绪：世系。歇：终止，停止。

【译文】

到了元朝兴起的时候，金国也就终止了。金国被元朝灭亡以后，宋朝同样被元朝消灭。

bìng zhōng guó, jiān róng dí
并中国，兼戎翟。①
jiǔ shí nián, guó zuò fèi
九十年，国祚废。②

【注释】

①并：吞并。兼：兼并。戎：我国古代对西部民族的称谓。翟：通“狄”，我国古代对北方少数民族的统称。

②祚：权位，地位。

【译文】

蒙古人入主中国，兼并了少数民族政权，传国九十年后，元朝的权位也消失了。

míng tài zǔ jiǔ qīn shī
明太祖，久亲师。①

chuán jiàn wén fāng sì sì
传建文，方四祀。②

【注释】

①明太祖：朱元璋，以布衣起兵，拜刘伯温为军师。南征北伐十八年，剿灭群寇，始成一统，国号明。

②建文：朱元璋的孙子朱允炆。祀：祭祀。

【译文】

明太祖朱元璋长期亲自督率军队血战，消灭元朝建立了明朝。他的帝位传给了孙子朱允炆，朱允炆只做了四年皇帝。

qiān běi jīng yǒng lè sì
迁北京，永乐嗣。①

dài chóng zhēn méi shān shì
迨崇祯，煤山逝。②

【注释】

①迁北京：明太祖朱元璋建都于南京，到了第三世成祖时代，把国都迁到北京。永乐：明成祖朱棣（dì）年号。嗣：继承。

②崇祯：明思宗年号。

【译文】

朱元璋的第四子登上皇位，年号永乐，他将都城从南京迁往北京。等传到崇祯皇帝朱由检时，李自成攻入北京，朱由检在煤山上吊自杀，明朝从此灭亡。

niàn èr shǐ quán zài zī

廿二史，全在兹，①

zǎi zhì luàn zhī xīng shuāi

载治乱，知兴衰。

【注释】

①廿：二十。廿二史：指《史记》《汉书》《后汉书》《三国志》《晋书》《宋书》《南齐书》《梁书》《陈书》《魏书》《北齐书》《周书》《隋书》《南史》《北史》《新唐书》《新五代史》《宋史》《辽史》《金史》《元史》《明史》二十二部官修史书。

【译文】

二十二史里面全面记载了从上古以来的历史，记载了各个太平盛世和乱世的史实，从中可以明白各个王朝兴盛和衰亡的原因。

dú shǐ zhě kǎo shí lù

读史者，考实录，①

tōng gǔ jīn ruò qīn mù

通古今，若亲目。②

【注释】

①实录：真实可靠的记载。

②若：像。

【译文】

研究历史，还要考察真实可靠的记载，才能通晓古今，像自己亲眼所见的一样。

kǒu ér sòng xīn ér wéi
口而诵，心而惟，①
zhāo yú sī xī yú sī
朝于斯，夕于斯。②

【注释】

①诵：背诵。惟：思考，想。

②斯：这里。

【译文】

凡是求学问的人，在读以上谈到的经史子集等书时，都要能熟读成诵，并能在心中思考其中的道理，才能有所进益。还要不分早晚，勤奋攻读，才能达到融会贯通。

xī zhòng ní shī xiàng tuó
昔仲尼，师项橐，①
gǔ shèng xián shàng qín xué
古圣贤，尚勤学。

【注释】

①仲尼：孔子，字仲尼。项橐：春秋时代鲁国人，七岁时为孔子师。

【译文】

从前圣人孔子曾拜七岁的孩子项橐为老师。古代的圣贤之人，还这样勤学好问。

zhào zhōng lìng dú lǔ lùn
赵中令，读《鲁论》，①
bǐ jì shì xué qiě qín
彼既仕，学且勤。②

【注释】

①赵中令：指赵普。宋时赵普曾在宋太祖、宋太宗手下做官，任中书令之职，日则理国政事，夜则读《鲁论》。

②仕：做官。

【译文】

宋朝的中书令赵普一生研读《论语》这本书。在他任宰相之职后，学习还是那样勤奋。

pī pú biān xiāo zhú jiǎn
披蒲编，削竹简，①
bǐ wú shū qiě zhī miǎn
彼无书，且知勉。②

【注释】

①蒲：蒲草，又叫菖蒲。竹简：用竹子削成的薄片，用来写字。

②彼：他们，此处指汉时的路温舒和公孙弘。

【译文】

汉代的路温舒少年时用蒲草编成席子把借来的《尚书》抄在上面加以学习；公孙弘少年时削竹片抄录《春秋》来诵读。他们无钱买书，却能自勉刻苦地学习。

tóu xuán liáng，zhuī cì gǔ，
头悬梁，锥刺股，①
bǐ bù jiào，zì qín kǔ。
彼不教，自勤苦。

【注释】

①头悬梁：汉朝的孙敬，读书至夜深，为了不让自己瞌睡，就以绳系发，悬于屋梁，如打盹低头时，绳索就会将他拉醒。锥刺股：战国时苏秦，勤读《六韬》《阴符》等兵法之书，每当夜深昏昏欲睡时，就引锥自刺其股，使自己清醒后再读。此二人后来都官至卿相。

【译文】

汉代的孙敬刻苦学习，为了防止晚上读书打瞌

睡而将头发用绳子吊在屋梁上；战国人苏秦读书困倦时就用锥子刺自己的大腿来提神。他们没有人教，但自学很勤苦。

rú náng yíng， rú yìng xuě， ①
如囊萤，如映雪，

jiā suī pín， xué bù chuò。 ②
家虽贫，学不辍。

【注释】

①囊萤：晋朝有一名叫车胤的人，家贫，夜读无油点灯，就捉了许多萤火虫装在纱袋里，靠萤火虫发出的光来读书。囊，用袋子装。映雪：晋朝的孙康家境贫寒，没有油可供点灯读书，在冬天的时候他就在户外借着大雪的反光来读书。

②辍：停止。

【译文】

像晋朝的车胤没有灯就捉萤火虫装在纱袋里照明读书，像晋朝的孙康没有灯就借着大雪的反光来读书。他们的家境虽然贫寒，但他们从不停止学习。

rú fù xīn， rú guà jiǎo， ①
如负薪，如挂角，

shēn suī láo， yóu kǔ zhuó。 ②
身虽劳，犹苦卓。

【注释】

①挂角：隋朝时，李密替人放牛，但他一心好学，常骑在牛背上读《汉书》，将其他的书挂在牛角上。

②卓：卓绝。

【译文】

像朱买臣一面砍柴一面读书，像隋代李密一面放牛一面读书。他们虽然劳累，也还是很艰苦地读书。

sū lǎo quán èr shí qī
苏老泉，二十七，①

shǐ fā fèn dú shū jí
始发愤，读书籍。

【注释】

①苏老泉：宋朝苏洵，号老泉，四川眉州人。小时未读书，二十七岁时才开始发愤读书，后来成了著名的文学家。

【译文】

宋朝的苏老泉直到二十七岁时才开始发愤读书，后来成为有名的文学家。

bǐ jì lǎo yóu huǐ chí
彼既老，犹悔迟，①

ěr xiǎo shēng, yí zǎo sī.
尔小生，宜早思。②

【注释】

①既：已经。

②尔：你，你们。宜：应该，应当。

【译文】

他年龄大时，后悔学得太迟了；你们这些后生，应当趁早努力读书，用心思考问题。

ruò liáng hào, bā shí èr,
若梁灏，八十二，①

duì dà tíng, kuí duō shì.
对大廷，魁多士。②

【注释】

①梁灏：宋代人。他生于五代，从后晋天福三年开始应试，经历后汉、后周，不中状元，誓不甘心。到了八十二岁，宋太宗雍熙二年（985），才中状元及第。在金殿对策，独占鳌头。

②魁：为首。

【译文】

宋人梁灏直到八十二岁高龄时，才在朝廷举行的进士考试中，战胜了所有的参考者，夺取了状元。

bǐ jì chéng, zhòng chēng yì,
彼既成，众称异，①
ěr xiǎo shēng, yí lì zhì.
尔小生，宜立志。

【注释】

①异：奇事，奇异。

【译文】

他成功了，大家都认为是奇事。你们这些后生，应当立下读书的志向。

yíng bā suì, néng yǒng shī.
莹八岁，能咏诗。①
mì qī suì, néng fù qí.
泌七岁，能赋棋。②

【注释】

①莹：北齐祖莹，字元珍。年八岁，好读书，日夜勤读，时人称他为小圣童。后来为秘书监著作郎。

②泌：唐李泌，七岁能作棋赋："方若行义，圆若运知，动若逞才，静若得意。"后历任四朝宰相，为社稷重臣。

【译文】

北齐的祖莹八岁时，就能作诗。唐朝的李泌七岁时，就能够写下棋的赋。

bǐ yǐng wù，rén chēng qí。
彼颖悟，人称奇。①

ěr yòu xué，dāng xiào zhī。
尔幼学，当效之。②

【注释】

①颖：聪颖。悟：领会，领悟。

②效：效仿。

【译文】

他们聪明出众，人们都很称奇和欣羡。你们这些年幼的学生，应当以他们为学习的榜样。

cài wén jī，néng biàn qín。
蔡文姬，能辨琴。①

xiè dào yùn，néng yǒng yín。
谢道韫，能咏吟。②

【注释】

①蔡文姬：东汉著名文学家蔡邕（yōng）的女儿蔡琰（yǎn），博学多才，能诗，尤其擅长音律。

②谢道韫：东晋名相谢安的侄女，在文学方面很有才华。

【译文】

东汉的蔡文姬在音律方面有着过人的天赋，她能够分辨琴质的好坏和琴音的高低。晋朝的才女谢道韫在文学上有很高的造诣，她才思敏捷，能够吟诗作对。

bǐ nǚ zǐ qiě cōng mǐn
彼女子，且聪敏。①
ěr nán zǐ dāng zì jǐng
尔男子，当自警。②

【注释】

①敏：智慧。

②自警：自我警醒。

【译文】

她们两个都是女子，尚且聪慧过人，你们身为男子，更应该时刻警惕，勤勉努力。

táng liú yàn fāng qī suì
唐刘晏，方七岁，①
jǔ shén tóng zuò zhèng zì
举神童，作正字。②

【注释】

①刘晏：唐朝人，聪慧异常，七岁时名闻天下，后官至吏部尚书、同平章事。方：刚刚，才。

②举：推举，选拔。

【译文】

唐朝的刘晏聪明好学，才七岁就能吟诗作文，被人们推举为神童，并被授予太子正字的官职。

bǐ suī yòu，shēn yǐ shì
彼虽幼，身已仕。

ěr yòu xué，miǎn ér zhì
尔幼学，勉而致。①

yǒu wéi zhě，yì ruò shì
有为者，亦若是。②

【注释】

①勉：勤勉。致：达到。

②有为：有所作为。若是：如此，像这样。

【译文】

尽管他年纪幼小，却已身居官位。你们这些年幼的学生，只要勤勉学习，也能达到这样的成就。有所作为的人，也都是像上面所列举的这些古人那样。

quǎn shǒu yè，jī sī chén
犬守夜，鸡司晨，①

gǒu bù xué，hé wéi rén
苟不学，曷为人？②

【注释】

①司：掌管。司晨：报晓。

②苟：如果，假如。曷：何，什么。

【译文】

狗在夜间会替人看守家门，鸡每天早晨打鸣报晓。人如果不用心勤奋学习，又有什么资格做人呢？

cán tǔ sī， fēng niàng mì，
蚕吐丝，蜂酿蜜，

rén bù xué， bù rú wù。①
人不学，不如物。①

【注释】

①物：这里指动物。

【译文】

蚕能够吐丝供人纺织丝绸，蜜蜂能够酿蜜供人食用。人如果不学习，那连动物也不如。

yòu ér xué， zhuàng ér xíng，①
幼而学，壮而行，①

shàng zhì jūn， xià zé mín。②
上致君，下泽民。②

【注释】

①壮：成年。行：行动，做事。

②泽：恩泽，施恩。

【译文】

年少时发愤学习，等到长大了，就将学到的东西付诸行动。这样一来，上可以为国家效力，下可以为百姓谋福利。

yáng míng shēng，xiǎn fù mǔ，①
扬名声，显父母，
guāng yú qián，yù yú hòu。②
光于前，裕于后。

【注释】

①显：显耀，荣耀。

②光：光彩。裕：富裕。

【译文】

这样，不仅会使自己声名远扬，也能给父母带来荣耀，给祖先增添光彩，为后代留下富裕。

rén yí zǐ，jīn mǎn yíng。①
人遗子，金满籝。
wǒ jiào zǐ，wéi yī jīng。②
我教子，惟一经。

【注释】

①遗：留给。子：子孙后代。籝：竹编的容器。

②惟：只有。经：经典的书，这里指《三字经》。

【译文】

别人留给子孙后代的是满箱的金银财宝，而我教育后代，留给他们的只有一本《三字经》。

qín yǒu gōng, xì wú yì.
勤有功，戏无益。①

jiè zhī zāi, yí miǎn lì.
戒之哉，宜勉力。②

【注释】

①功：成果，收获。戏：游戏玩耍，贪玩。益：好处。

②戒：警惕，注意。哉：语气助词，表示感叹。

【译文】

只要肯勤奋努力，就一定会有所成就，如果只是一味地贪玩、嬉戏，则没有任何好处。一定要时刻提醒自己，珍惜时光，努力学习。

百家姓

〔北宋〕佚名

zhào qián sūn lǐ
赵钱孙李

zhōu wú zhèng wáng
周吴郑王

féng chén chǔ wèi
冯陈褚卫

jiǎng shěn hán yáng
蒋沈韩杨

zhū qín yóu xǔ
朱秦尤许

hé lǚ shī zhāng
何吕施张

kǒng cáo yán huà
孔曹严华

jīn wèi táo jiāng
金魏陶姜

qī xiè zōu yù
戚谢邹喻

bǎi shuǐ dòu zhāng
柏水窦章

yún sū pān gě
云苏潘葛

xī fàn péng láng
奚范彭郎

lǔ wéi chāng mǎ
鲁韦昌马

miáo fèng huā fāng
苗凤花方

yú rén yuán liǔ
俞任袁柳

fēng bào shǐ táng
酆鲍史唐

fèi lián cén xuē
费廉岑薛

léi hè ní tāng
雷贺倪汤

téng 滕	yīn 殷	luó 罗	bì 毕
hǎo 郝	wū 邬	ān 安	cháng 常
yuè 乐	yú 于	shí 时	fù 傅
pí 皮	biàn 卞	qí 齐	kāng 康
wǔ 伍	yú 余	yuán 元	bǔ 卜
gù 顾	mèng 孟	píng 平	huáng 黄
hé 和	mù 穆	xiāo 萧	yǐn 尹
yáo 姚	shào 邵	zhàn 湛	wāng 汪
qí 祁	máo 毛	yǔ 禹	dí 狄
mǐ 米	bèi 贝	míng 明	zāng 臧
jì 计	fú 伏	chéng 成	dài 戴
tán 谈	sòng 宋	máo 茅	páng 庞
xióng 熊	jǐ 纪	shū 舒	qū 屈
xiàng 项	zhù 祝	dǒng 董	liáng 梁
dù 杜	ruǎn 阮	lán 蓝	mǐn 闵
xí 席	jì 季	má 麻	qiáng 强
jiǎ 贾	lù 路	lóu 娄	wēi 危
jiāng 江	tóng 童	yán 颜	guō 郭

méi shèng lín diāo
梅 盛 林 刁

zhōng xú qiū luò
钟 徐 邱 骆

gāo xià cài tián
高 夏 蔡 田

fán hú líng huò
樊 胡 凌 霍

yú wàn zhī kē
虞 万 支 柯

zǎn guǎn lú mò
昝 管 卢 莫

jīng fáng qiú miào
经 房 裘 缪

gān xiè yīng zōng
干 解 应 宗

dīng xuān bēn dèng
丁 宣 贲 邓

yù shàn háng hóng
郁 单 杭 洪

bāo zhū zuǒ shí
包 诸 左 石

cuī jí niǔ gōng
崔 吉 钮 龚

chéng jī xíng huá
程 嵇 邢 滑

péi lù róng wēng
裴 陆 荣 翁

xún yáng yū huì
荀 羊 於 惠

zhēn qū jiā fēng
甄 麹 家 封

ruì yì chǔ jìn
芮 羿 储 靳

jí bǐng mí sōng
汲 邴 糜 松

jǐng duàn fù wū
井段富巫

wū jiāo bā gōng
乌焦巴弓

mù wěi shān gǔ
牧隗山谷

chē hóu fú péng
车侯宓蓬

quán xī bān yǎng
全郗班仰

qiū zhòng yī gōng
秋仲伊宫

nìng qiú luán bào
宁仇栾暴

gān tǒu lì róng
甘钭厉戎

zǔ wǔ fú liú
祖武符刘

jǐng zhān shù lóng
景詹束龙

yè xìng sī sháo
叶幸司韶

gào lí jì bó
郜黎蓟薄

yìn sù bái huái
印宿白怀

pú tái cóng è
蒲邰从鄂

suǒ xián jí lài
索咸籍赖

zhuó lìn tú méng
卓蔺屠蒙

chí qiáo yīn yù
池乔阴鬱

xū nài cāng shuāng
胥能苍双

wén 闻	shēn 莘	dǎng 党	zhái 翟
tán 谭	gòng 贡	láo 劳	páng 逄
jī 姬	shēn 申	fú 扶	dǔ 堵
rǎn 冉	zǎi 宰	lì 郦	yōng 雍
xì 郤	qú 璩	sāng 桑	guì 桂
pú 濮	niú 牛	shòu 寿	tōng 通
biān 边	hù 扈	yān 燕	jì 冀
jiá 郏	pǔ 浦	shàng 尚	nóng 农
wēn 温	bié 别	zhuāng 庄	yàn 晏
chái 柴	qú 瞿	yán 阎	chōng 充
mù 慕	lián 连	rú 茹	xí 习
huàn 宦	ài 艾	yú 鱼	róng 容
xiàng 向	gǔ 古	yì 易	shèn 慎
gē 戈	liào 廖	yǔ 庾	zhōng 终
jì 暨	jū 居	héng 衡	bù 步
dū 都	gěng 耿	mǎn 满	hóng 弘
kuāng 匡	guó 国	wén 文	kòu 寇
guǎng 广	lù 禄	què 阙	dōng 东

ōu 欧	shū 殳	wò 沃	lì 利
yù 蔚	yuè 越	kuí 夔	lóng 隆
shī 师	gǒng 巩	shè 厍	niè 聂
cháo 晁	gōu 勾	áo 敖	róng 融
lěng 冷	zī 訾	xīn 辛	kàn 阚
nā 那	jiǎn 简	ráo 饶	kōng 空
zēng 曾	wú 毋	shā 沙	niè 乜
yǎng 养	jū 鞠	xū 须	fēng 丰
cháo 巢	guān 关	kuǎi 蒯	xiàng 相
zhā 查	hòu 後	jīng 荆	hóng 红
yóu 游	zhú 竺	quán 权	lù 逯
gě 盖	yì 益	huán 桓	gōng 公

mò qí 万俟	sī mǎ 司马
shàng guān 上官	ōu yáng 欧阳
xià hóu 夏侯	zhū gě 诸葛
wén rén 闻人	dōng fāng 东方
hè lián 赫连	huáng fǔ 皇甫
yù chí 尉迟	gōng yáng 公羊

tán tái gōng yě
澹台 公冶

zōng zhèng pú yáng
宗政 濮阳

chún yú chán yú
淳于 单于

tài shū shēn tú
太叔 申屠

gōng sūn zhòng sūn
公孙 仲孙

xuān yuán líng hú
轩辕 令狐

zhōng lí yǔ wén
钟离 宇文

zhǎng sūn mù róng
长孙 慕容

xiān yú lǘ qiū
鲜于 闾丘

sī tú sī kōng
司徒 司空

qí guān sī kòu
亓官 司寇

zhǎng dū zǐ jū
仉督 子车

zhuān sūn duān mù
颛孙 端木

wū mǎ gōng xī
巫马 公西

qī diāo yuè zhèng
漆雕 乐正

rǎng sì gōng liáng
壤驷 公良

tuò bá jiā gǔ
拓跋 夹谷

zǎi fǔ gǔ liáng
宰父 榖梁

jìn chǔ yán fǎ
晋 楚 闫 法

rǔ yān tú qīn
汝 鄢 涂 钦

duàn gān bǎi lǐ
段干 百里

dōng guō nán mén
东郭 南门

hū yán guī hǎi
呼延 归海

yáng shé wēi shēng
羊舌 微生

yuè shuài gōu kàng
岳 帅 缑 亢

kuàng hòu yǒu qín
况 后 有 琴

liáng qiū zuǒ qiū
梁丘 左丘

dōng mén xī mén
东门 西门

shāng móu shé nài
商 牟 佘 佴

bó shǎng nán gōng
伯 赏 南宫

mò hǎ qiáo dá
墨 哈 谯 笪

nián ài yáng tóng
年 爱 阳 佟

dì wǔ yán fú
第五 言 福

bǎi jiā xìng zhōng
百 家 姓 终

【姓氏来源】

赵：出自嬴姓，形成于西周。相传周穆王时期，造父为周穆王驾车平叛，立了大功，周穆王便把赵城（今山西洪洞县北）赐给他，自此以后，造父和他的后代就以赵为姓氏。

钱：颛顼（zhuān xū）帝有个孙子叫彭祖，彭祖的孙子彭孚曾在周朝任专门管理朝廷钱币的官。因此，他的后代就把这个官职名作为家族的姓。

孙：据《元和姓纂》记载，卫武公的儿子叫惠孙，他的后世就以孙作为姓氏。另有记载，孙叔敖在任楚令尹时，因开发水利有功，深得楚人的拥护，其子孙为纪念他，便以孙作为自己的姓氏。

李：商纣时，皋陶（gāo yáo）后裔理徵在朝为官，因直谏得罪纣王而被处死，他的妻契和氏带着儿子利贞逃难时，因为摘吃李子充饥才得以活命，所以不再称理，改姓为李以表尊敬。

周：据《姓源》记载，周平王的小儿子姬烈在汝州（今河南省中西部）做官，当地人称他们为周家，于是他的后代就以周为姓。

吴：相传周文王的伯父太伯主动把皇位让了出来，到江南建立吴国。周武王即位后便封太伯的子孙周章为侯，改国号为吴，后来，周章的子孙就以国名为姓。

郑：周宣王在位时，曾把自己的弟弟分封在郑，史称郑桓公，传到郑桓公之子武公时，又迁都到新郑，后来，郑国被韩国所灭，郑桓公的后人便以国名为姓。

王：出自姬姓，周灵王的儿子姬晋，因为直言进谏触怒父王，被贬为庶民，但因为他的贵族身份，人们习惯称他为“王家”，后来便延用为姓。

冯：据《元和姓纂》记载，周灭商后，周武王的弟弟毕公姬高受封在冯地，他的子孙便以冯为姓。

陈：据《通志·氏族略》记载，周朝初年，周武王封虞舜的后人胡公满在陈，建立陈国，胡公满的后代便以陈为姓。

褚：据《通志·氏族略》记载，殷商王族后裔食采于褚邑，便以褚为姓。

卫：据《广韵》记载，周文王之子康叔，管理商朝七族建立了卫国，卫国的公族后代便以国名为姓。

蒋：西周初期，周公旦的第三个儿子伯龄被封在蒋，建立蒋国。春秋时期，蒋国被楚国所灭，于是伯龄的后代子孙便以国名为姓。

沈：周文王之子季载封于沈，其后代便以沈为姓。

韩：据载，韩姓出自姬姓。周武王小儿子叔虞的后代受封在韩原，其子孙便以韩为姓。

杨：周宣王之子尚父封于杨，其子孙便以杨为姓。

朱：周武王封曹挟于邾，后邾为楚所灭，其子孙便去掉“邑”字旁（古时“阝”同“邑”），以朱为姓。

秦：秦姓出自嬴姓。据《通志·氏族略》记载，伯益的后代嬴非子，为周孝王放牧马群有功，被封在秦，他的子孙后代便以秦为姓。

尤：源自沈氏。五代时王审之称闽王，沈姓避“审”讳改为“尤”。

许：帝尧时，帝尧让天下给许由，许由不受，隐居颍水，其后人姓许。

何：战国的韩为秦所灭，其国人逃到江淮者以韩为姓，因当地“韩”与“何”发音相近，于是改姓何。

吕：系出姜姓，姜姓一支在夏朝时建吕国，其后人以国名为姓。

施：鲁惠公之子名施父，其五代孙施伯开始以施为姓。

张：张姓的始祖是黄帝的孙子姬挥，他是弓的发明者，被封为弓正，他便取“弓”“长”之意，作为自己的姓氏。

孔：契是商族的始祖，为子姓，历经十四代，传到成汤，灭夏桀，建都于亳。成汤是一个圣明的君主，字太乙，其子孙中有一支为了纪念他，以商族的姓“子”和他字中的“乙”组合起来定为姓氏，就是孔氏。

曹：公元前11世纪，周文王之子、周武王之弟叔振铎被封于曹，建都陶丘，成为始封之君，也就成为曹氏的始祖。后来他的后代就以国名作为自己的姓氏。

严：楚庄王的子孙以其谥号庄为姓，东汉时避明帝刘庄讳，便改庄姓为严姓。

华（huà）：春秋宋戴公之子封于华，其后人便以封地名为姓。

金：黄帝之子少昊（hào），称金天氏，其一支后代便以称号金为姓。

魏：周文王第十五子毕公姬高原受封于毕，他的孙子毕万在毕国被西戎灭后，便投奔到晋国，成为大夫，被封在魏地，称为魏氏。毕万的后代魏斯建立魏国，公元前225年被秦所灭后，亡国的魏国王族就以国名魏为姓氏。

陶：来源于居地，上古时期的尧帝，开始时居住在陶，后封于唐，为唐侯，故称陶唐。他的子孙后来有以居地名陶为姓的，就是相传的陶姓。

姜：身为我国上古“三皇”之一的神农氏，出生于陕西岐山西南方的姜水河畔，于是他就以姜作为自己的姓，子孙世代相传。

戚：春秋卫大夫孙林父受封于戚，其一支后代便以戚为姓。

谢：周宣王继位后，封其舅舅申伯在谢，他的一支子孙便以谢为姓。

邹：战国时邾国曾改号为邹，其一部分后人便以邹为姓。

喻：西汉苍梧太守谕猛，改谕为喻，其后代因袭之。

柏：春秋有柏国，其后代以国名为姓。

水：大禹之孙留会稽，以水为姓。

窦：夏朝君主相被杀，他怀孕的妃子从窦（墙洞）逃走，生少康，少康后代因此以窦为姓。

章：齐太公的子孙被封于鄣，鄣亡国，其子孙去邑以章为姓。

云：祝融被帝喾（kù）封于妘（yún）罗地，其后代去女字旁，以云为姓。

苏：颛顼裔孙陆终之子昆吾被封在苏地，建立苏国，他的后代就以苏为姓。

潘：周文王的儿子毕公高封他的儿子季孙在潘地，附庸于毕国。后来，这一系的子孙就按照当时的习惯，以国名为姓。

葛：夏朝有葛国，其后代以国名为姓。

奚：起源于夏代，黄帝的后裔奚仲之后，以祖名为姓。

范：尧的一支子孙在周朝时被封在杜地，不久杜就被周宣王所灭。当时杜伯的儿子跑到晋国，被任为士师，因此改姓为士。后来杜伯的曾孙士会食邑于范（今河南范县），士会的子孙便以范为姓氏。

彭：颛顼帝之裔孙陆终的儿子篯铿（jiān kēng）封于彭，其后代以国名为姓。

郎：春秋时鲁懿公的孙子费伯在郎地建邑，其后代以地名郎为姓。

鲁：周公旦之子伯禽封于鲁，其后代以国名鲁为姓。

韦：商时有韦豖国，豖韦国在周襄王时失国，迁居彭城，其子孙遂以国名为姓。

昌：颛顼的后代以颛顼之父昌意的昌字为姓。

马：战国赵奢受封于马服，其子孙以马为姓。

苗：春秋时楚国贲（bēn）皇至晋国，被封于苗邑，其后代以苗为姓。

凤：帝喾时，凤鸟氏掌管历法，其后代便以凤为姓。

花：出自华姓，当时没有花字，通作华。后花与华字意区分开，于是有的就改姓花。

方：周宣王的大臣姬方叔南征叛乱有功，周宣王赐其子孙为方姓。

俞：黄帝时，俞跗（fū）是一名神医，其后代便以俞为姓。

任（rén）：黄帝之子禺阳封于任地，其后代便以地名任为姓。

袁：出自妫（guī）姓，帝舜之裔，周时陈国始君胡公满之十一世孙诸，字伯爰（yuán），其孙涛涂，以祖父名字为姓，因古时爰、袁、辕相同，故称为袁氏。

柳：春秋时，鲁国有个士师叫展禽，被封在柳下，于是便改姓为柳，其谥号“惠”，后人称柳下惠，据说他有坐怀不乱的美德。其子孙后便以柳为姓。

酆（fēng）：周武王姬发灭商建周王朝之后，敕封自己的弟弟在丰邑，“丰”字添加了“邑”偏旁，就成为后世的“酆”字，诸多史书因之改丰为酆。此后，丰氏一族逐渐形成了丰氏、酆氏两大支系。

鲍：春秋时，姒（sì）敬叔被封于鲍，敬叔之子叔牙开始以封邑名为氏，称鲍叔牙。后来，鲍姓子孙就尊这位德行高尚的鲍姓先人为其得姓始祖。

史：西周初年史佚任太史令一职，辅佐武王克商，与周、召、太公共辅成王。史佚子孙以其官职“太史令”的史字为氏，称史氏。

唐：尧禅位给舜，尧死后，舜封尧之子丹朱为唐侯。到周时，唐侯作乱被周成王所灭，唐国之地就被改封给成王之弟唐叔虞，原来尧的后裔则迁往杜国，称唐杜氏。唐杜氏的后裔有以国名为氏的，称为唐氏。

费：夏禹的裔孙叫费昌，在商朝时被封在费国，其后裔子孙就以国名为姓氏，称费氏。

廉：黄帝之子名昌意，昌意之子为颛顼，颛顼之孙名大廉。其子孙有以其名字命姓者，称廉氏。

岑（cén）：周朝时，周武王姬发将其父王异母弟姬耀封为岑子，将其堂弟姬渠封于岑地（今陕西韩城），建立了岑国，其后代以国名为姓。

薛：黄帝的后代孙奚仲，夏朝时被封在薛地，他的子孙后代便以薛为姓。

雷：上古时有个部落称方雷氏，其后代有一支以雷为姓。

贺：据《魏书·官氏志》等记载，南北朝时，孝文帝迁都洛阳后，实行汉化，将鲜卑族复姓贺兰氏、贺拔氏、贺狄氏、贺赖氏、贺敦氏等全部改为单姓，便为贺氏。

倪：周朝时，小国郳（ní）国被楚国所灭，其后裔以郳为姓。为避仇杀，改为兒（ní）姓。以后又加人字旁，改为倪姓。

汤：商代成汤的后裔以祖先的名字汤为姓。

滕：西周初期，周武王封其弟叔绣于滕，其后世子孙以滕为姓。

殷：商朝的第十代商王盘庚迁都于殷，称殷朝。其后人以殷为姓。

罗：春秋时期，祝融的后代被封在罗地，建立罗国，他的子孙后代便以罗为姓。

毕：西周初期，周文王第十五子姬高受封于毕，人称毕公高，其部分子孙便以毕为姓。

郝：殷商时期，殷王乙封子期于郝，其子孙遂以郝为姓。

邬：据《通志·氏族略》所记，春秋时晋国人祁臧受封于邬，世称邬臧，其子孙袭用邬姓。

安：黄帝次子昌意的儿子名安，居西戎，自称安息国，其后代就以安为姓。

常：黄帝时任司空的常先，其后代均以常为姓。

乐（yuè）：春秋时宋国君宁戴公儿子衎（kàn），字乐父。乐父的孙子以祖父的字乐为姓，其子孙袭用。

于：周武王封他的儿子在邘（yú）地，世称邘叔，后来，邘叔的子孙就去掉右边的耳朵旁以于为姓。

时：春秋时，商王朝的后裔宋国公子来，受封于时邑，其子孙就以封邑名时为姓。

傅：殷商武丁时期的宰相本名说（yuè），因其早年曾于傅岩处筑城，被武丁派人访贤求得，任为相，世称傅说，其子孙便以傅为姓。

皮：鲁献公之子仲山甫辅佐周宣王有功，受封于樊国，称樊侯，其子孙遂姓樊。樊侯的后代，有一人受封于皮氏邑，时称樊仲皮，其子孙有的便以皮为姓。

卞（biàn）：西周初期，曹叔振铎的后人中有一勇士名庄，受封于卞邑，称卞庄子，其后人便以卞为姓。

齐：周朝时太公望封于齐，其后人便以国名为氏，皆姓齐。

康：西周初，周武王封幼弟于康，世称康叔，其后人便以康为姓。

伍：黄帝有一位大臣名伍胥，即是伍姓的始祖。

余：春秋时，有一个叫由余的人在西戎做官，后来投靠秦穆公，其子孙就有的姓由，有的姓余。

元：春秋时卫国大夫晅（xuān）食邑于元，其后人便以元为姓。

卜：周朝设有卜卦之官，其后人就以官名卜为姓。

顾：夏朝时，昆吾氏的子孙被封在顾国。夏末商初时，顾国被商汤灭掉，亡国后的顾国子孙，就以国名为姓。

孟：春秋时期卫灵公的哥哥，名挚，字公孟，称孟挚。其子孙省去“公”字而为孟氏。又鲁桓公的儿子庆父其仲杀死两个鲁君后自杀，其子公孙敖被封于成，改仲孙氏为孟孙氏，后代单取孟为姓。

平：战国时，韩哀侯的儿子婼（chuò）受封于平邑，韩亡后其子孙以平为姓。

黄：颛顼帝的玄孙陆终在商末周初建立黄国，又称黄子国。春秋时期，楚国称霸，只有黄国和随国敢于抗衡。公元前648年，黄被楚灭。亡国后的黄国子孙，以国名为氏，就是黄氏。

和：帝尧时，掌管天地四时的官员是羲和，其后人引以为荣，遂以其祖先名字和为姓。

穆：春秋时，宋国国君，死后谥号穆，史称宋穆公，其后世子孙遂以祖先的谥号穆为姓。

萧：宋桓公即位后，把大夫大心封在萧，成为宋的附属国，大心被称为萧叔。萧国后来被楚国所灭，大心的后世子孙就以封地名为姓，称萧姓。

尹（yǐn）：少昊帝的儿子殷受封于尹城，称尹殷，其子孙遂以尹为姓。

姚：相传五帝之一的舜因生在姚墟，所以他的子孙便以姚为姓。

邵：周武王封其庶弟姬奭（shì）于召地，称召公。召公的子孙以祖先的封地召为姓。召姓后人中有的在召旁加邑，表示封邑之意，遂组成邵字，以邵为姓。

湛（zhàn）：据《姓氏寻源》记载，春秋时居住在湛地的人以湛为姓。

汪：汪氏最早源自商代汪芒氏之后。汪芒氏又称汪罔氏，是防风所改，防风是夏朝诸侯之一。进入商朝，防风氏的后代就改为单字汪氏。另外，鲁国国君成公的庶子被封到汪邑，其后世子孙有的也以汪为姓。

祁：帝尧复姓伊祁氏，其后人有的便以祁为姓。

毛：周文王的第九个儿子伯聃（dān）被封在毛邑，世称毛伯聃，他是周成王的六个爱卿之一，任司空，掌管建筑工程。毛伯聃的后代子孙就以毛为姓。

禹：据《通志·氏族略》记载，夏禹的后人以禹为姓。

狄：周康王封弟孝伯于狄城，其后代子孙便以狄为姓。

米：米姓始出自西域米国，其中有一支系来到中原地区，按照汉俗以米为姓。

贝：周文王的后代召公的子孙食采于浿（pèi）丘，其后人去浿字水旁以贝为姓。

明：燧人氏时代有大臣名明由，明姓自此始。

臧（zāng）：春秋时鲁孝公的儿子弫（kōu），受封于臧地，其子孙便以臧为姓。

计：夏禹后人建有计国，亡国后，其后人以计为姓。

伏：据《氏族博考》记载，伏羲氏的后裔以伏为姓。

成：周文王嫡六子，姬叔武，封地为郕（chéng）国。伯爵，谓郕叔武。郕叔武的后代便以成为氏。

戴：春秋时宋戴公的后裔以祖上的谥号戴字为姓。

谈：殷商亡国后，商的后人受周武王之封，建立宋国。宋国传三十六世有一人名谈居，因其受封于谈而得名，其后世子孙以谈为姓。

宋：周武王灭商后，没有对前朝的王室赶尽杀绝，而是把一大片土地封给纣王的哥哥微子启。微子启建立了宋国，他的子孙后代就以宋为姓。

茅：周公旦的儿子叔被封在茅邑，称为茅叔，后建立茅国，他的后人就以茅为姓。

庞：周文王之子毕公高的后代有的被封在庞，其后代子孙便以庞为姓。

熊：黄帝建都于有熊，故称有熊氏，其后代有的便以熊为姓。

纪：西周时，炎帝的后裔封于纪，建立纪国，其后人便以纪为姓。

舒：周武王封皋陶后代于舒，建立舒国，子爵，世称舒子，其后人便以舒为姓。

屈：据《通志·氏族略》记载，春秋时楚武王的儿子瑕受封于屈地，其子孙便以屈为姓。

项：据《通志·氏族略》记载，春秋时楚公子燕被封于项城，建立项国，其后人便以项为姓。

祝：周武王分封先代遗民时，黄帝的后人受封于祝地，建立祝国，其子孙便以祝为姓。

董：舜帝时，有个人叫董父，相传对龙的习性很有研究，舜帝就让他专门养龙。在董父的精心驯养下，龙学会了表演各种舞蹈，帝舜非常满意，就赐他董姓，他的后代就是董氏。

梁：春秋时期，周宣王封秦仲的二儿子康在夏阳梁山，立为国君，称梁康伯。梁康伯的后代就以梁为姓。

杜：西周时，刘累的后代建唐国。周成王后来灭唐国，把自己的弟弟虞封在唐，而把唐国国君迁到杜，称为杜伯。周宣王时，杜国被灭，作为周大夫的杜伯虽无罪但也被杀。杜伯的子孙大多投奔其他诸侯，而那些留在杜城的就以杜为姓。

阮：据《通志·氏族略》记载，商朝时有阮国，其王族就以国名为姓。

蓝：梁惠王三年，秦王子向命为蓝国国君，其后人就以蓝为姓。

闵：春秋时鲁庄公的儿子当了两年国君就被庆父杀害，谥号闵，称鲁闵公，其后代子孙遂以闵为姓。

席：春秋时晋国大夫郤谈，是管理典籍的官员，于是其后人以籍为姓。秦末项羽名籍，籍谈的后裔为避项籍之讳，改姓席。

季：春秋时，鲁庄公的弟弟季友平定了庆父之乱，子孙以他的字命氏，称为季孙氏。季孙氏的后代就简称季氏。

麻：春秋时齐国有一位大夫叫麻婴，其后人就姓麻。

强：春秋时，齐国大夫叫公孙疆，其后人便以强为姓。古代“强”与“疆”通用。

贾：西周时，周成王的弟弟唐叔虞的小儿子公明被封在贾地，建立贾国。后来贾国的土地被晋国吞并。他的子孙后代就以贾为姓。

路：帝喾高辛氏的孙子玄元因功被封为路中侯，其子孙遂以路为姓。

娄：周武王灭商后封少康的后裔东楼公于杞，为杞国。后杞国被灭，其子孙食邑于娄遂，以娄为姓。

危：帝舜时，将三苗族迁至甘肃三危山一带，三苗后人遂以危为姓。

江：相传伯益的后代被封在江地，春秋时被楚国灭掉后，其子孙就以江为姓。

童：据《元和姓纂》记载，颛顼之子名老童，其子孙就以童为姓。

颜：颛顼的玄孙叫陆终，陆终有个儿子叫安，周武王时把安的后代苗裔邾子挟封在邾，建立邾国。邾子挟的五世孙叫邾颜公。邾国被楚国灭掉后，颜公的子孙有人就以祖父的字为姓，称颜姓。

郭：周武王时封文王的弟弟虢（guó）仲的后裔孙姬序在阳曲，号曰“虢公”。因虢、郭音同，又称“郭公”，其后代就有了郭氏。

梅：殷商时，商王太丁封他的弟弟在梅，世称梅伯。商纣王时，梅伯忠直敢谏，对纣王的荒唐行径多次提出批评，结果触怒纣王被杀死。周武王灭商以后，又封梅伯的后裔在黄梅，其支庶子孙便以封地名为姓，称梅姓。

盛：周穆王时有盛国。春秋时盛国被齐国所灭，盛国国君的后人便以盛为姓。

林：比干原是商朝王室成员，在商纣王时以忠正敢言知名。纣王昏庸无道，他多次进言匡谏，后来因此获罪。夫人陈氏为躲避官兵追杀，逃难于长林石室，生子名坚，因生于林被周武王赐林为姓。

刁：周文王时有雕国，其后人改雕为刁，以此为姓。

钟：据《百家姓考略》记载：“楚公族钟建封

于钟吾，其后人为钟吾氏，或为钟氏。”是为钟姓之始。

徐：伯益因辅佐大禹治水有功，帝舜把本族的女子姚氏嫁给他，姚女后来生了儿子叫若木，因为他的父亲有功，所以封他于徐，建立徐国。春秋时期，徐国被楚国打败，徐国的后裔就称为徐氏，以国名为姓，代代相传。

邱：西周初年，太师吕尚因辅佐武王灭商有功，被封于齐，建齐国，建都营丘，号称齐太公，俗称姜太公。其子孙中有以地名为氏的，称为丘氏。后来大多数都改为邱姓。

骆：据《姓谱》等书记载，姜太公有裔孙公子骆，他的子孙就以骆为姓。

高：相传炎帝神农氏因居住在姜水，所以以姜为姓。传至西周时，有叫子牙的，因辅佐周武王灭商有功，被封于齐，有太公之称，俗称姜太公。传至六世孙文公吕赤，有子孙被封在高邑，称公子高，他的后代渐渐便以高为姓。

夏：禹治理了水患，使人民得以安居乐业。为了表彰他的丰功伟绩，舜封他于夏。后来还把帝位传给他。夏禹死后，其子启继位，建立了中国历史上第一个奴隶制国家夏朝。后因夏帝桀暴虐无道而被商汤推翻，夏王族便以国名为氏，称为夏氏。

蔡：周灭商后，封文王第五个儿子叔度于蔡。

武王死后，周成王年纪太小，周公旦因此临朝摄政。后周成王因叔度叛乱改封蔡叔度的儿子胡于蔡，称蔡仲。公元前447年蔡国被楚国攻灭，蔡国的后代就以国名为姓氏，称蔡氏。

田：春秋时，陈厉公的儿子叫陈完，他同御寇的交情很好，御寇被杀后他怕被株连，便逃到齐国。齐桓公将他封于田地。陈完因为逃到了齐国，不愿用原来的国名为氏，就以田为姓。

樊：周文王的后裔仲山甫在周宣王时代任卿士，受封于樊地，其子孙便以樊为姓。

胡：周武王灭商后，封舜的后裔胡公满于陈，建立了陈国。陈国被灭后，其一部分人便以胡为姓氏。

凌：周文王之子康叔封于卫，建立卫国。康叔的庶出子在周朝做官，任凌人（官名），其后人便以祖上的官名凌为姓。

霍：据《百家姓考略》记载，周文王的儿子霍叔的后人以霍为姓。

虞：舜帝的儿子商均受封于虞城，其后代子孙便以虞为姓。

万：春秋时，晋国大夫毕万的一部分后人以祖上的万字为姓。

支：尧舜时代有个名叫支父的人，其后代就以支为姓。

柯：春秋时吴王有个儿子名柯卢，其子孙就以柯为姓。

昝（zǎn）：昝姓出自咎（jiù）姓，但因咎字有灾祸之意，人们认为咎字不吉利，于是在“口”中加一横，变成昝，以昝为姓。

管：西周初，周武王封其弟叔鲜于管，建立管国，世称管叔鲜，其后人遂以管为姓。

卢：姜太公的后人名傒，受封于卢，其后人便以卢为姓。

莫：颛顼尝造鄚（mò）城，其后人去掉鄚字的“邑”旁，以莫为姓。

经：春秋时，魏有经侯，其后代皆经姓。

房：帝舜封尧的儿子丹朱于房，建立房国，其后人遂以房为姓。

裘：春秋时卫国有一位大夫受封于裘地，其子孙遂以裘为姓。

缪（miào）：古时缪、穆音同，秦穆公的一部分子孙便以缪为姓。

干：春秋时，宋国有一位大夫名字叫干犨（chōu），其子孙遂以干为姓。

解（xiè）：周成王封其弟虞于唐，称唐叔虞。唐叔虞的儿子名良，食采于解，称解良。其子孙就以地名解为姓。

应（yīng）：周武王封第四子于应，建应国，称应侯。其后人遂以应为姓。

宗：周朝设有掌管国家祭祀典礼之官，称宗伯，其后人就以祖先官名宗字为姓。

丁：出自丁侯的后裔。丁侯为殷商诸侯之一，周武王讨伐殷纣时丁侯因不从而被周所灭，其子孙散居各地，部族仍以丁为氏。

宣：春秋时鲁国大夫宣伯的子孙以祖上的谥号“宣”字为姓。

贲（bēn）：据《元和姓纂》记载，春秋时鲁国有贵族县贲父，其后人便以贲为姓。

邓：相传夏朝时帝仲康有子孙封在邓国，邓君的后世子孙就以国名为氏，称邓氏。

郁：古代有郁国，春秋时为吴大夫的封地，其后人便以郁为姓。

单（shàn）：据《姓氏考略》记载，周成王封其少子臻于单邑，称单伯，其子孙便以单为姓。

杭：大禹治水以后，留下许多船只，禹让他的儿子管理这些剩余的航船，封为余航国。其后人改航为杭，以杭为姓。

洪：共工的后代，为避仇，又为有水德，于是给共字加水旁改为洪。

包：出自风姓，为上古传说中的部落酋长太昊的后代。太昊创制八卦，教民捕鱼、畜牧，以充庖厨，故又名庖牺或庖羲。据《路史》载，包羲氏后有包氏。

诸：春秋时，鲁国有诸邑，在诸邑任官职受俸禄的大夫的子孙便以诸为姓。

左：周朝和各诸侯国设置有左史官，他们的后人便以祖上官职左字为姓。

石：据《百家姓考略》记载，春秋时卫国公族大夫名石碏（què），其后人就以石为姓。

崔：吕尚的儿子丁公伋是齐国的第二代国君，他的嫡子叫季子，本来应该继承君位，最后却让位给弟弟叔乙，自己则住到崔邑，其后代便以邑名为氏，就是崔氏。

吉：周宣王时，有大臣尹吉甫，战功卓著，其后人便以祖上名字中的吉字为姓。

钮：据《通志·氏族略》等书所记，东晋的钮滔，一般认为是钮姓之祖。

龚（gōng）：黄帝时有大臣名共工，负责管理水土。共工的儿子名句龙，继任父亲职务，他的后人遂把共字和龙字合在一起，组成龚字以为姓。

程：颛顼之孙重黎为司火之官，受封于程地，称程伯，其后人便以程为姓。

嵇（jī）：夏朝少康帝封其庶子于会稽，称会稽氏。西汉初，迁徙列国公族大姓，会稽氏被迁至谯郡嵇山，会稽氏遂改为嵇姓。

邢：周公旦第四子封于邢，建立邢国，其后人就以邢为姓。

滑：古代有滑国，后来被晋所灭，其公族子孙便以滑为姓。

裴（péi）：伯益之裔孙受封于萐乡，其后人去邑从衣，改萐字为裴字，并以裴为姓。

陆：齐宣王的小儿子田通，封于陆邑，其子孙便以陆为姓。

荣：周文王大夫夷公受封于荣邑，称荣夷公，其后代就以荣为姓。

翁：周昭王庶子受封于翁山，其后人便以翁为姓。

荀：周文王的一个儿子受封于郇（xún），建立郇国，称郇伯。其子孙改郇为荀，以荀为姓。

羊：春秋时，晋国大夫祁盈受封于羊舌，称羊舌氏，其后人去掉舌字，以羊为姓。

於（yū）：据《世本》记载，黄帝时有一位大臣因有功受封于於，遂名於则，其子孙便以於为姓。

惠：据《百家姓考略》《元和姓纂》记载，周惠王的后代子孙，有的以祖上的谥号惠字为姓。

甄（zhēn）：皋陶的次子仲甄在夏朝为卿，受封于甄，其子孙遂以甄为姓。

麹（qū）：西周初，朝廷中有官职麹人，是管理酿酒的官员，其后世子孙便以祖上官名麹字为姓。

家：周孝王的一个儿子名家父，其后世子孙便以家为姓。

封：炎帝裔孙名钜，为黄帝师，夏朝时封其后代于封父，其子孙遂以封为姓。

芮（ruì）：西周初，周武王封姬姓司徒于芮，建立芮国，称芮伯，其后人便以芮为姓。

羿（yì）：据《百家姓考略》等书所记，夏代有穷氏的首领后羿的子孙以羿为姓。

储：上古时有储国，储国公族的后代便以储为姓。

靳（jìn）：战国时，楚怀王有侍臣名尚，受封于靳江，称靳尚，其子孙便以靳为姓。

汲（jí）：春秋时，周文王的后人康叔封于卫，建立卫国。卫宣公的太子居于汲，称太子汲，其后世子孙便以汲为姓。

邴：据《通志·氏族略》记载，春秋时，晋国大夫封于邴，其后人便以邴为姓。

糜：糜姓起源于夏代，当时有人以种植粮食作物“糜子”闻名于世，其后人便以糜为姓。

松：秦始皇巡幸泰山遇雨，避雨于松树下，封此松树为“五大夫松”。同时避雨的人以松为姓。

井：周朝大夫井利的后人以井为姓。

段：春秋时，郑武公之子，郑庄公之弟，称共叔段，其子孙有的姓共，有的姓段。

富：周朝大夫富辰，其子孙以富为姓。

巫：据《百家姓考略》记载，商代有大臣名巫咸，其子孙就以巫为姓。

乌：上古少昊氏以鸟名任命官职，有掌管高山丘陵的乌鸟氏，其后人便以乌为姓。

焦：西周初，周武王封神农氏的后代子孙于焦，建立焦国，其后人便以焦为姓。

巴：周朝时，在四川东部地区有巴子国，巴子国君的后代便以巴为姓。

弓：据《姓氏考略》记载，上古时主管制造弓弩的官叫弓正，其子孙便以弓为姓。

牧：据《通志·氏族略》记载："牧氏，黄帝相力牧之后。"这是牧姓之始。

隗（wěi）：商汤灭夏桀之后，封夏桀后人于隗，建立隗国，其后人便以隗为姓。

山：据《广韵》所记，周朝置有掌管山林之官，其后人便以山为姓。

谷：据《通志·氏族略》记载，周朝封颛顼后裔于秦谷，其后代遂以谷为姓。

车：据《世本》所记，黄帝时有大臣名字叫车区，为车姓的始祖。

侯：春秋时期晋国的公族晋哀侯和他的弟弟被晋武公所杀，他们的子孙便迁居他国，并以祖先的爵位为姓，是为侯姓。

宓（fú）：上古时伏羲亦作宓羲，伏与宓音同。宓乃伏羲氏之后代之姓。

蓬：西周初，封君主的庶子孙于蓬州，其后代遂以蓬为姓。

全：西周设置有泉府之官掌管钱财。古时泉即钱财。其时泉府官的后人以泉为姓。“泉”与“全”音同，遂改为全姓。

郗：西周初，周武王封少昊氏的后裔于郗，其子孙遂以郗为姓。

班：楚令尹子文，吃虎乳长大，因虎身有斑纹，其后人便以斑为姓，后又改为班姓。

仰：虞舜帝时代，有一位大臣名仰延，其后人便以仰为姓。

秋：春秋时鲁国大夫仲孙湫（qiū）的裔孙名胡，世称湫胡，湫胡的子孙有去掉“湫”字的水旁，以秋为姓的。

仲：黄帝后裔高辛氏中有两个叫仲堪、仲熊的人，其后世子孙便以仲为姓。

伊：据《百家姓考略》记载，帝尧生于伊水，姓伊祁氏，其后人遂以伊为姓。

宫：西周时，朝廷中有专管宫廷修缮、清扫宫院的官，称宫人，其后代遂以宫为姓。

宁（nìng）：春秋时，秦国秦襄公的曾孙死后，谥号宁，称宁公，其子孙便以宁为姓。

仇（qiú）：夏代有诸侯九吾氏，在商代建立九国，侯爵。商代末年，纣王杀九侯，其族人为避祸加人字旁，改九为仇，以仇为姓。

栾：据《世本》等书所记，春秋时，晋靖侯的孙子宾受封于栾邑，其后代遂以栾为姓。

暴：商朝时有暴国，为公爵。到周朝暴国仍为诸侯国，后并入郑国。暴国的后人便以暴为姓。

甘：据《通志·氏族略》记载，夏朝时有甘国，其国君家族以国名甘为姓。

钭（tǒu）：战国时，田和篡齐，齐康公被迁于海滨，居洞穴，以酒器钭当锅，烹煮野菜食用。其后代子孙遂以钭为姓。

厉：齐国君主姜无忌去世，谥号“厉”，称齐厉公，其后代子孙便以厉为姓。

戎：据《百家姓考略》记载，周朝时有戎国，为齐国的附庸，其公族以戎为姓。

祖：商汤的裔孙祖甲、祖乙、祖辛、祖丁都先后为商王，他们的子孙便以祖为姓。

武：周平王的小儿子，生下来手上有“武”字手纹，遂赐武姓。

符：据《元和姓纂》记载，春秋时，鲁顷公的孙子雅在秦国任符玺令，其子孙遂以符为姓。

刘：祁姓是黄帝的后裔所分得的姓氏之一，后来祁氏被封于刘国。其子孙便以国为姓，相传姓刘，就是后来的刘姓。

景：春秋时，楚国有大夫景差，其后人皆以景为姓。

詹：周宣王封其支庶子孙于詹，建立詹国，其后人便以詹为姓。

束：战国田齐公族中有踈（shù，今读作shū，写作疎）姓，因避战乱，其后人去掉足旁，以束为姓。

龙：据《通志·氏族略》记载，黄帝裔孙董父好畜龙，赐为豢龙氏，其后人便以龙为姓。

叶：春秋时，楚庄王裔孙沈诸梁封于叶，建叶国，公爵，世称叶公，其子孙便以叶为姓。

幸：据《姓氏五书》所记，古代君王身边有受宠幸的侍臣，其子孙引以为荣，遂以幸为姓。

司：据《百家姓考略》记载，春秋时，郑国有大夫名司成，其子孙皆姓司。

韶：帝舜时有乐官，作曲名《韶》，乐官的子孙遂以祖上创作的乐曲名“韶”字为姓。

郜：周文王的一个儿子封于郜，其后人便以郜为姓。

黎：黄帝后裔颛顼的孙子封于黎阳，建立黎国，其子孙便以黎为姓。

蓟：西周初，周武王封黄帝的后人于蓟，建蓟国，其后人便以蓟为姓。

薄（bó）：春秋时，宋国有一位大夫受封于薄，其子孙遂以薄为姓。

印：郑穆公的儿子睔（gùn），字子印，其子孙在郑国为大夫时，以祖上的字印为姓。

宿：西周初，周武王封伏羲氏的后人于宿，建宿国，其后世子孙便以宿为姓。

白：春秋时，秦文公的儿子名公子白，其后代便以白为姓。

怀：春秋时，宋国微子启的后代皆姓怀。

蒲：据《百家姓考略》记载，夏代封帝舜的后裔于州蒲，其子孙便以蒲为姓。

邰（tái）：据《百家姓考略》记载，帝尧封后稷于邰，其子孙便以邰为姓。

从：周平王封少子精英于枞（zōng），建枞国，称枞侯，其后人改枞为从，以从为姓。

鄂：春秋时，晋侯光居于鄂，其子孙便以鄂为姓。

索：西周初，周武王把殷商七族中的索氏迁于鲁定居，其后人皆姓索。

咸：据《姓苑》所记，商朝时有掌卜祝巫事的大臣，称巫咸，其后代便以咸为姓。

籍：春秋时，晋大夫荀林父之孙负责管理典籍文献，其后代便以籍为姓。

赖：西周初，周武王封炎帝后裔于赖（今湖北随州），建立赖国，其后人便以赖为姓。

卓：据《战国策》所记，春秋时，楚威王有个儿子名卓，其后代便以卓为姓。

蔺：春秋时，晋穆公的少子封于韩，建立韩国。传至韩厥，其玄孙名康，仕于赵国，受封于蔺，其子孙遂以蔺为姓。

屠：商王族后裔封于郿（tú），其后人去掉“邑”旁，以屠为姓。

蒙：据《元和姓纂》记载，夏朝初，封颛顼之后人于蒙双（今山东界内），其子孙遂以蒙为姓。

池：战国时，秦王族有公子池声名显赫，其子孙便以池为姓。

乔：黄帝逝世后葬于桥山（今陕西黄陵），守陵人遂以山名“桥”字为姓，后人又简化为乔。

阴：管仲的裔孙名修，仕于楚国，封为阴大夫，世称阴修，其子孙便以阴为姓。

鬱：古有鬱国，为吴大夫封地，其公族便以鬱为姓。

胥：据《通志·氏族略》所记，春秋时，晋国有大夫胥臣，他的后代便以胥为姓。

能（nài）：西周初，周成王有大臣熊绎，因功受封，立楚国。熊绎的儿子熊挚被封于夔，建夔国，后来被灭。其国人为避难，改熊为能，以能为姓。

苍：黄帝之孙颛顼有八子，帮助帝尧治国。颛顼的长子名苍舒，其子孙便以苍为姓。

双：颛顼帝的裔孙受封于双蒙城，其子孙后代便以双为姓。

闻：春秋时，鲁国有一位名人少正卯，很有学问，但他的主张与孔子不合。后来，孔子在鲁国任大司寇时杀了少正卯。因少正卯是当时闻名于世的人，其后代便以“闻人”二字为姓，其后一部分子孙又改姓闻。

莘：据《百家姓考略》记载，夏王启封帝喾高辛氏之子挚于莘地，其子孙遂以莘为姓。

党：据《百家姓考略》记载，党姓出自夏后氏。夏禹后裔世居党项，遂以党为姓。

翟（zhái）：据《百家姓考略》所记，黄帝的后裔居于翟地，遂以翟为姓。

谭：周朝封禹之后人于谭，建立谭国，其公族子孙遂以谭为姓。

贡：据《百家姓考略》等书所记，春秋时，孔子的弟子子贡的后人，有一部分人以贡为姓。

劳：西汉初，劳山（今崂山）人始与内地相通。汉王朝便赐劳山之居民以劳为姓。

逄（páng）：炎帝裔孙名字叫陵，商朝时受封于逄，建立逄国，伯爵，世称逄伯陵。其后人便以逄为姓。

姬：黄帝出生于姬水，遂以姬为姓。周朝王族是黄帝后裔，姬姓之始。

申：炎帝后裔中有人受封于申地，建立申国，伯爵，世称申伯吕，其后人以申为姓。

扶：据《路史》所记，夏禹王时有臣扶登氏，其子孙就以扶为姓。

堵：春秋时，郑国大夫泄寇被封于堵邑，世称堵叔，其后人便以堵为姓。

冉：帝喾为炎帝部落联盟首领时，其属下联盟是由八个大部落组成的，其中有冉氏部落。冉氏部族后代有的便以冉为姓。

宰：据《百家姓考略》记载，宰姓系出姬姓。周朝大夫宰孔的后人便以宰为姓。

郦：据《元和姓纂》所记，夏禹封黄帝后人于郦邑，建立郦国。其后代遂以郦为姓。

雍：西周初，周文王之子被封于雍，伯爵，称雍伯。其后人便以雍为姓。

郤（xì）：春秋时，晋献公征伐翟人，公族子弟叔虎奋勇当先，打败了翟人。事后晋献公把郤邑封给他，建立郤国，为子爵，称郤子。他的后代遂以封地为姓，称郤氏。

璩（qú）：据《姓氏考略》记载，“璩”与“糖”通用，是指用金银制的耳环，最早制作璩的人，其子孙就以璩为姓。

桑：春秋时，秦国公族公孙枝，字子桑，其后世子孙便以其字桑为姓。

桂：周朝王族后裔姬季桢在秦国任博士。秦始皇焚书坑儒时季桢被杀。其弟季眭（音桂）为避祸，以自己名字“眭”的同音字“桂”为子孙改姓。

濮（pú）：虞舜的子孙封于濮地，其后人便以濮为姓。

牛：商汤的后人宋微子的裔孙名叫牛父，在宋国为官，为保卫宋国战死，其子孙便以牛字为姓。

寿：春秋时，有吴王寿梦，其子孙皆以寿为姓。

通：《元和姓纂》等书所记，春秋时，巴国有大夫封于通川，其子孙遂以通为姓。

边：《元和姓纂》记载，商代时有边国，伯爵，称边伯，其子孙皆以边为姓。

扈：《百家姓考略》记载，夏朝时有扈国，其公族以扈为姓。

燕：商朝封黄帝后裔伯儵于燕，其后人便以燕为姓。

冀：《元和姓纂》记载，春秋时，晋国大夫冀芮受封于冀，其子孙遂以冀为姓。

郏（jiá）：周朝王族后裔有的定居于郏鄏（rǔ），

遂以郏为姓。

浦：据《百家姓考略》等书记载，姜太公的后裔为晋国大夫浦跞（lì），其后人就以浦为姓。

尚：姜太公辅佐周武王灭商有功，受封于齐。姜太公在周朝为太师，被尊称太师尚父，或简称尚父，他的后世子孙便以尚为姓。

农：西周初，封神农氏后裔任农正官，管理农业生产，其后人遂以农为姓。

温：西周初，周成王封其弟叔虞于唐，称唐叔虞。唐叔虞后人中的一支受封于温地，这一支后人以温为姓。

别：按古代宗法制度，别子不能姓祖父之姓，有的人就以别为姓。

庄：春秋时，楚庄王的支庶子孙以祖上谥号庄为姓。

晏：《百家姓考略》记载，晏姓系出陆终氏，陆终的儿子名晏安，其后人便以晏为姓。

柴：西周初，周武王封姜太公于齐，建立齐国。齐国公族本为姜姓，但其后世裔孙有一人名高柴。高柴的孙子字举，他以其祖父的柴字为姓，名柴举，其后人皆以柴为姓。

瞿（qú）：商朝有个大夫因受封于瞿上，从而名瞿父，其子孙遂以瞿为姓。

阎：西周初，周武王封太伯曾孙仲奕于阎乡，仲奕的后代遂以阎为姓。

充：周朝官制中有充人一职。充人是管饲养祭祀用牲畜的官。其后代便以充为姓。

慕：帝喾的后裔中有慕容氏，慕容氏的后人中有的以慕为姓。

连：颛顼玄孙陆终的儿子名惠连，其后代便以连为姓。

茹：汉代有人名如淳，其后人加草字头，遂成茹，以茹为姓。

习：据《风俗通》所记，古代有习国，习国灭后，其公族以习为姓。

宦：据《姓氏五书》记载，宦姓“当取意于仕宦，不以阉宦为姓，今贵州遵义县有此姓，江苏丹阳亦多”。据此可知，宦姓出自官宦的后代。

艾：夏朝少康帝时，有一位大臣名汝艾，其子孙便以艾为姓。

鱼：据《百家姓考略》记载，鱼姓“系出子姓，宋司马子鱼之后，以父王字为氏”。这是鱼姓之始。

容：虞舜的后裔，有一人名叫仲容，其子孙便以容为姓。

向：春秋时，宋桓公有子字向父，其后代便以向为姓。

古：据《风俗通》所记，周朝周太王古公亶父的后人以古为姓。

易：春秋时，齐桓公有宠臣雍巫，字易牙。此人精于烹调技术，其后人便以易为姓。

慎：春秋时，楚国的白公胜受封于慎邑，其子孙遂以慎为姓。

戈：据《姓谱》记载，夏朝时，封同姓人于戈，其后人遂以戈为姓。

廖：据《百家姓考略》等书记载，商朝时封黄帝的后人叔安于廖，其子孙遂以廖为姓。

庾（yǔ）：周朝时置有庾掌之官（保管粮食的官吏），其子孙便以庾为姓。

终：据《元和姓纂》等书记载，颛顼帝的玄孙名陆终，其后人便以终为姓。

暨（jì）：颛顼帝的玄孙陆终的儿子名篯，受封于大彭，为大彭氏。在商代，大彭的后人有的受封于诸暨，其后人便有的姓诸，有的姓暨。

居：据《百家姓考略》等书记载，晋国大夫先且居的后人，有的就以居为姓。

衡：商汤的丞相伊尹在商朝建立后，被尊称为"阿衡"，伊尹的后人有的便以衡为姓。

步：晋国大夫郤步扬的后人，有的以步为姓。

都：春秋时，郑国大夫公孙阏，字子都，他是美男子，又是勇士，很有名。其后人有的便以都为姓。

耿：周朝封同姓人于耿，耿为诸侯国，耿国灭后，其公族便以耿为姓。

满：帝舜的裔孙胡公满的后人，有的以满为姓。

弘：据《元和姓纂》《风俗通》等书记载，春秋时，卫国有大夫名弘演，其子孙遂以弘为姓。

匡：春秋时，鲁国的句须任匡邑宰，其子孙遂以匡为姓。

国：春秋时，郑穆公的儿子公子发，字子国，其后世子孙有的便以祖上之字国为姓。

文：据《风俗通》所记，周文王的支庶子孙有的就以祖上谥号文字为姓。

寇：周文王的儿子康叔在周朝为司寇，其后世支庶子孙，有的便以寇为姓。

广：黄帝时，有人名广成子，隐居山中，其后人有的便以广为姓。

禄：据《百家姓考略》记载，殷纣王的儿子武庚，字禄父，其后人便以禄为姓。

阙（què）：据《百家姓考略》所记，春秋时，鲁国有阙党邑，有人受封于此地，便以阙为姓。

东：帝舜有七个好友，其中一个名东不訾（也有的书作东不识），他的后人便以东为姓。

欧：春秋时越王勾践的裔孙，越王无疆的次子蹄被封于乌程欧余山之南，称欧阳亭侯，其后人有的便以欧为姓。

殳（shū）：帝舜有大臣名殳，其子孙就以殳为姓。

沃：《百家姓考略》等书记载，商王沃丁的子孙以沃为姓。

利：皋陶的后裔理利贞，因逃避纣王迫害，曾避难于李子树下，食李充饥，遂改名李利贞，其后人中有的以理为姓，有的以李为姓，也有的以利为姓。

蔚（yù）：周代，郑国公子翩受封于蔚邑，世称蔚翩，其后世子孙遂以祖上封邑蔚为姓。

越：夏禹王后裔，夏王少康之子无余，受封于会稽，建立越国，国灭后，其公族子孙有的便以越为姓。

夔（kuí）：春秋时，楚国国君的六世孙熊挚受封于夔城，建立夔国。国灭后，其后世子孙便以国名夔为姓。

隆：春秋时鲁国有一地方名隆邑，居住于此地或受封于此地者，便以隆为姓。

师：夏商周时代，掌管音乐歌咏之官名师，如上古有师延、师涓，周朝有师尹，这些音乐官的后代多以师为姓。

巩：周朝周敬王时有一个同族卿士简公封于巩，称巩简公，其后人便以巩为姓。

厍（shè）：据《风俗通》记载：“古守厍大夫，因官命氏。”守厍，即守库。其后人以官名厍为姓。

聂：春秋时，齐丁公封支庶子孙于聂城，其子孙便以封地聂为姓。

晁：周景王的小儿子名朝。周景王死后，在王位争夺斗争中王子朝失败，逃往楚国，其子孙便以朝为姓。因“朝”与“晁”同音，后来又改为晁姓。

勾：据《百家姓考略》所记，远古时有勾芒氏，其后人改为单姓勾。

敖：《风俗通》等书所记，古帝颛顼的老师太敖，其子孙便以敖为姓。

融：古帝颛顼的后裔有祝融氏，其后人有的姓祝，有的则姓融。

冷：黄帝时有管音乐的官叫泠伦，其后人遂以泠为姓，又有分化出冷姓。

訾（zī）：据《百家姓考略》等书所记，帝喾的一个妃子是訾陬（zōu）氏人，訾陬氏的后代遂以訾为姓。

辛：夏禹的儿子启建立夏朝，封其支庶子于莘，“莘”与“辛”音相近，其后人遂以辛为姓。

阚（kàn）：春秋时齐国大夫止封于阚，称阚止，其后人便以阚为姓。

那（nā）：春秋时有权国。楚武王灭权国，将权国人迁往那处，其后人遂以那为姓。

简：春秋时晋国大夫狐鞫居受封于续，死后谥号简，称续简伯，其后人便以简为姓。

饶：据《史记·赵世家》记载，赵悼襄王六年封长安君于饶，其子孙遂以饶为姓。

空（kōng）：空姓出于古空侯氏，其后人便以空为姓。

曾：夏少康帝封其子曲烈于鄫，其后人便以鄫为姓，后来去掉邑旁，改为曾姓。

毋：齐宣王封其弟于毋邱，以此延续对其祖先胡公满的祭祀。从此其后代分为三姓：一支姓胡毋，一支姓毋邱，一支姓毋。

沙：据《姓苑》所记，炎帝时有大臣夙沙氏，其后人便以沙为姓。

乜（niè）：据《元和姓纂》所记，春秋时，卫国大夫食采于乜城，其后人便以地名乜为姓。

养：春秋时，吴国公子掩余、烛庸逃到楚国，楚王让他们在养地居住，其后世子孙遂以养为姓。

鞠：后稷的孙子名鞠陶，其后世子孙便以其名鞠字为姓。

须：据《风俗通》等书记载，春秋时有须句国，其公族称须句氏，后改为须姓。

丰：春秋时，郑穆公的儿子名丰，其子孙便以丰为姓。

巢：上古有先民居山中，以树为巢，称有巢氏。夏禹王封有巢氏后人建巢国。后来巢国被楚所灭，其国人遂以巢为姓。

关：夏朝时有个贤臣关龙逄，对夏帝桀的荒淫残暴敢于当面直谏，触怒夏桀而被杀害。他的后代便以关为姓。

蒯（kuǎi）：据《百家姓考略》记载，春秋时，卫庄公名蒯聩（kuì），其后人便以蒯为姓。

相（xiàng）：夏王有帝相，所都为相里，其后世子孙便以相为姓。

查（zhā）：春秋时，齐顷公封其子于楂，其后世子孙便以楂为姓，后来去掉木旁，改为姓查。

後：後姓出自太昊氏。太昊的裔孙名后，其后世子孙便以後为姓。

荆：西周初，楚国先君熊绎被封于荆，国号荆，其后人中有的便以荆为姓。

红：春秋时，楚国公族熊渠的儿子熊挚，字红。熊挚受封为鄂王，其支庶子孙有的便以祖上的字红为姓。

游：据《元和姓纂》记载，春秋时，郑穆公之子名偃，字子游，其孙便以游为姓。

竺：春秋时，孤竹国国君之子伯夷、叔齐的后人以国名竹字为姓。到了汉代，竹姓后人竹晏，改竹为竺，以竺为姓。

权：商代武丁的后裔封于权，建立权国。权国灭后，其公族子孙便以权为姓。

逯（lù）：据《百家姓考略》记载，秦国公族大夫封于逯，其后人以逯为姓。

盖：据《百家姓考略》等书记载，战国时，齐国大夫受封于盖邑，其后人便以盖为姓。

益：据《百家姓考略》等书记载，帝舜的大臣皋陶之子伯益的子孙便以益为姓。

桓（huán）：黄帝时有大臣名桓常，其后人便以桓为姓。

公：春秋时，鲁昭公的两个儿子，一个叫衍，一个叫为，都被封为公爵，世称公衍、公为，他们的后世子孙遂以公为姓。

万俟（mò qí）：鲜卑族的万俟部落随鲜卑族的王族拓跋氏进入中原。拓跋珪创立北魏朝，北魏献文帝赐其弟弟的后人姓万俟，是为万俟姓之始。

司马：周宣王时，程伯休的父亲官至司马，其后人遂以司马为姓。

上官：楚庄王的小儿子名子兰，官至上官大夫，其后世子孙便以上官为姓。

欧阳：赵王无彊（qiáng）之子名蹄，受楚王之封于乌程欧余山之南，山南为阳，故世称欧阳亭侯，其子孙遂以欧阳为姓。

夏侯：古有杞国，乃夏禹王后代夏侯氏所建。后来，杞国被楚国灭亡，杞简公之弟佗逃到鲁国，受封为侯爵，世称夏侯，其子孙遂以夏侯为姓。

诸葛：古有葛国，国灭后其一支族迁往诸城，其后代子孙遂以国名葛字和地名诸字，合成诸葛为姓。

闻人：春秋时，鲁国有一位名人少正卯，有学问，口才好，是当时的闻名人物，其后人便以闻人二字为姓。

东方：据《百家姓考略》所记，东方姓系出于太昊氏。伏羲氏的裔孙羲仲世掌东方青阳之令，其子孙遂以东方为姓。

赫连：复姓赫连出自南匈奴部族。东晋时，南匈奴右贤王的后人勃勃称大夏天王，始改姓赫连。

皇甫：春秋时，宋戴公之子名充石，字皇父。后来其孙南雍郈以祖父的字皇父为姓，称皇父郈。西汉时，其裔孙皇父鸾，改父为甫，遂开始以皇甫为姓。

尉迟（yù chí）：北魏孝文帝时，赐与鲜卑拓跋部落一起南迁的尉迟族人以族名尉迟为姓。

公羊：春秋时，鲁国有公孙羊孺，其子孙便取祖上公羊二字为姓。

澹台（tán tái）：春秋时，孔子的弟子灭明居于澹台，遂以澹台为姓，称澹台灭明。

公冶：春秋时鲁国有季公冶，其子孙便以公冶为姓。

宗政：汉高祖后裔楚元王之孙刘德曾任宗正官职，“宗正”亦作“宗政”，是掌管皇族事务的官，刘德的支孙便以祖上官职宗政为姓。

濮阳：春秋时郑国公族大夫居于濮阳，其族遂以濮阳为姓。

淳于（chún yú）：夏朝时有斟灌国。西周初，周武王封斟灌于州国，世称州公。后来，州国被杞国所灭，其公族留居淳于城，复国后，称淳于国，其子孙遂以淳于为姓。

单于（chán yú）：早期匈奴最高首领称单于，后匈奴部族消失，其融入其他民族的子孙便以祖上的王位名称单于为姓。

太叔：春秋时卫文公的第三子姬仪，世称太叔仪，其子孙遂以太叔为姓。

申屠：据《风俗通》所记，帝舜的后裔有申屠氏，其后代便以申屠为姓。

公孙：据《广韵》记载：“古封公之后，皆自称公孙，故其姓多，非一族也。”古代姓公孙的人很多，有的是因祖上受封为公爵，有的则是诸侯的后人，都是出身于贵族之家。

仲孙：春秋时，鲁桓公的次子名庆父，因他在兄弟中排行第二，故世称公仲，又因他是鲁国王族后代，所以庆父的子孙称仲孙氏，从此这一族人就以仲孙为姓。

轩辕：黄帝又号轩辕氏，其后裔中有一支便以轩辕为姓。

令狐：周文王之子毕公高有孙毕万，春秋时任晋国大夫。他的曾孙魏颗是一员猛将，屡立战功，受封于令狐邑，其后人遂以令狐为姓。

钟离：春秋时宋国公族后裔宗伯在晋国为官，后遭受谗言被杀害，其子伯州黎逃到楚国，定居于钟离，其后人遂以钟离为姓。

宇文：复姓宇文出自鲜卑族。鲜卑族的首领称大人，到普回袭任大人时，在一次打猎中拾得一块玉玺，认为是天命所授。而在鲜卑语谓天子为“宇文”，遂以宇文为姓。

长孙：复姓长孙出自鲜卑族拓跋氏。北魏道武帝拓跋珪因沙英雄是其曾祖父的长子，故赐沙英雄的儿子嵩为长孙氏，从此其子孙遂以长孙为姓。

慕容：三国时期，鲜卑族迁居辽西，建立政权。到涉归做鲜卑单于时，自称“慕二仪（天、地）之德，继三光（日、月、星）之容”，于是以慕容为姓。

鲜于：西周初，周武王封商纣王的叔父箕子于朝鲜。箕子的支庶子仲食采于于地，其后世子孙遂以鲜和于组成复姓。

闾丘：春秋时，齐国有一位大夫名婴，在闾丘居住，时称闾丘婴，其后人遂以闾丘为姓。

司徒：夏、商、周三朝都设置了司徒官职，是六卿之一，地位很高，相当于宰相。担任过此官职的人的后世子孙，有的就以司徒为姓。

司空：春秋时，晋国设置司空官职，任此职的人的后代有的便以司空为姓。

亓官（qí guān）：“亓”与“笄”在古代是一个字。笄是一种插在绾起头发上的簪子。周代设有掌管笄礼的官职，其后人遂以笄官为姓，笄又简化为亓，遂有亓官之姓。

司寇：周武王时，任苏忿生为司寇，这是掌管司法刑狱的官，其后人遂以祖上官称司寇为姓。

仉（zhǎng）：春秋时，鲁国大夫中有人姓党，其后世子孙有一支以党为姓，因“党”与“掌”同音，故姓掌。“掌”与“仉”通，后来又有人改掌为仉。

督：宋国有大夫名华督，其后人便以督为姓。

子车：春秋时，秦国大夫有子车氏，其族人便复姓子车。

颛孙：春秋时，陈国公子颛孙在鲁国做官，其子孙便以颛孙为姓。

端木：春秋时，孔子的弟子中有卫国人端木赐，字子贡，其后人皆以端木为姓。

巫马：周朝时，设置有驯养和医治马病的官职，称巫马，其后人就以祖上官职巫马为姓。

公西：春秋时，鲁国公族季孙氏的一支子孙以公西为姓。

漆雕：春秋时，鲁国有复姓漆雕的家族，其后人皆以漆雕为姓。

乐正：据《元和姓纂》所记，周朝设有乐正官，管理音乐工作。其后人便以乐正为姓。

壤驷（rǎng sì）：春秋时有复姓壤驷的家族。

公良：春秋时，陈国有个名叫良的公子，世称公子良，其子孙便以公良为姓。

拓跋：复姓拓跋出自古代鲜卑族。其后人拓跋珪于386年建立北魏政权。到北魏孝文帝拓跋宏，改复姓拓跋为单姓元，他自己改姓名为元宏。

夹谷：据《姓氏考略》所记，复姓夹谷出自女真族。

宰父：周朝时设有管理公卿官员升迁考核的官职，称宰夫，因“夫”与“父”音相近，后来转变成宰父，其后人便以祖上官职宰父为姓。

穀梁：据《姓氏寻源》等书所记，古代有种植穀梁的氏族，便以穀梁为姓，后来粱改为梁，穀梁复姓遂流传下来。

晋：周初，周成王的弟弟虞叔受封于唐，称唐虞叔。唐虞叔的儿子迁居晋水，改唐为晋，称晋侯。其后世子孙便以晋为姓。

楚：周成王封熊绎于楚，其后人遂以楚为姓。

闫：周武王时，封太伯的曾孙仲奕于阎乡（今山西安邑）。仲奕的后代遂以封地阎为姓。阎与闫通，故阎氏与闫氏同宗，闫氏为阎氏别支。

法：战国时，齐襄王名法章。秦国灭齐后，齐国的公族子孙为避祸，遂以祖上名法字为姓。

汝：东周初期，周平王封他小儿子于汝邑，其后人遂以汝为姓。

鄢（yān）：据《国语》记载，古代有鄢国。春秋时鄢国被郑国所灭，其公族子孙遂以鄢为姓。

涂：夏朝时有涂山氏，其后人省去山字，以涂为姓。

钦：乌桓族的一支部落钦志贲，其后世子孙在民族融合中改为钦姓。

段干：春秋时，哲学家老子李聃的裔孙李宗在魏国为将，他受封于段干，其后人遂以段干为姓。

百里：春秋时秦国大夫百里奚的后人以百里为姓。

东郭：周朝时，一座城有内城和外城，外城称郭。当时齐国公族大夫有居住在国都临淄东郭的，称东郭大夫，后来又称东郭氏，其后人遂以东郭为姓。

南门：古代居住在南城门一带的居民有的以南

门为姓。又一说，商代置管理南城门的官职，其后人便以南门为姓。

呼延：古代匈奴人有的家族称呼衍氏，入中原后改为呼延，其后人遂以之为姓。

归：春秋时有胡国，其君族为归姓。后来胡国被楚所灭，其国君的后人有的便以归为姓。

海：春秋时，卫国有大臣海春，其后人皆姓海。

羊舌：春秋时晋国晋靖侯的后人，有的受封于羊舌邑，其子孙遂以羊舌为姓。

微生：春秋时，鲁国有贵族微生氏，其子孙便以微生为姓。

岳：据《姓苑》记载，上古时设有“四岳”官职，其职务是管理山岳的祭祀工作，四岳官的后人以岳为姓。

帅：古代管理音乐工作的官员称师，晋国有师旷，鲁国有师乙，其子孙以师为姓。后因晋国晋景公的名字有师字，为避讳，将师字去掉一横，改姓帅。

缑（gōu）：周朝时，有大夫受封于缑邑，其后世子孙遂以缑为姓。

亢：春秋时卫国大夫三伉的后人以亢为姓。

况：《三国志·蜀志》所记，三国时，蜀中有一位名人況长宁，其后人皆以況为姓后简写作况。

后：《姓氏考略》云："太皞孙后照之后。"太皞，又称太昊或大昊，是伏羲氏的别称。所以后姓是伏羲氏的孙子后照的后裔。

有：据《尚友录》所记，远古时期，为躲避猛兽的侵袭，有人开始住在树上，被称有巢氏，其后人便以有为姓。

琴：据《姓氏考略》所记，周朝时，有人以弹琴为业，其后人便以祖上的职业琴字为姓。

梁丘：春秋时，齐国有一个大夫受封于梁丘，其后人便以梁丘为姓。

左丘：春秋时，齐国有个地方叫左丘，当时有个叫明的人居住于此地，遂以左丘为姓，称左丘明。

东门：春秋时，鲁国国君鲁庄公的儿子名遂，字襄仲，居住在东门，称东门襄仲，其后代遂以东门为姓。

西门：春秋时，郑国有个大夫居住在西门，其后世子孙便以西门为姓。

商：周灭商后，商朝的公族子孙有的便以商为姓。

牟：春秋时有牟子国，其国人有的就以牟为姓。

佘（shé）：唐开元时期有大学士名佘钦，这是佘姓较早的记载。

佴（nài）：据《通志·氏族略》记载："佴氏，如代切，晋《山公集》有佴湛。"这是佴姓较早的记载。

伯：古代嬴姓的祖先伯益，在舜帝、夏禹时都受到重用，后来被禹的儿子启所杀。伯益的后人有的便以伯为姓。

赏：据《姓苑》所记，春秋时，吴国有吴中八姓，赏姓是其中之一，这是赏姓之始。

南宫：春秋时鲁国大夫孟僖子的儿子仲孙阅住在南宫，其后人遂以南宫为姓。

墨：商朝时，孤竹国国君名墨胎，其后世子孙便以墨为姓。

哈：哈姓是我国少数民族回族的姓氏之一。大约在元代时中原开始有此姓。

谯：周文王的后裔支庶子孙有一支受封于谯，其后人遂以谯为姓。

笪（dá）：据《通志·氏族略》记载："笪氏，今建州（今福建建瓯）多此姓。"

年：据《明史·年富传》所记，年姓出自严姓。"年"字与"严"字读音相近，易混读。古代有一支严姓的子孙，因字音讹传，而以年为姓。

爱：唐代西域有回鹘（亦称回纥）国，其国相名爱邪勿。后来回鹘国成为唐朝的附庸国，国相爱邪勿来到中原时，唐朝皇帝赐他姓爱，名弘顺，其子孙遂以爱为姓。

阳：东周时，周景王封其小儿子于阳樊，其后人因避祸乱到了燕国，便以祖上封地阳字为姓。

佟（tóng）：佟姓出自佟佳氏。今辽宁省境内鸭绿江支流，元明时期称佟佳江，居住有佟佳氏族，其后人改为单姓佟。

第五：汉高祖刘邦即帝位后，为了削弱地方豪强势力，把战国时的齐、楚、燕、韩、赵、魏六国王族后裔迁徙到关中。其中齐国贵族田氏，因族大人多，故改变了原来的姓氏，而以第一氏、第二氏至第八氏来划分。第五氏即其中的一氏，其后人便以第五为姓。

言：春秋时，吴国有人叫言偃，字子游，是孔子的弟子，其子孙便以言为姓。

福：春秋时，齐国有大夫福子丹，其后世子孙皆以福为姓。

千字文

〔南朝·梁〕周兴嗣

tiān dì xuán huáng, yǔ zhòu hóng huāng.
天地玄黄，宇宙洪荒。
rì yuè yíng zè, chén xiù liè zhāng.
日月盈昃，辰宿列张。①

【注释】

①盈：月圆。昃：太阳西斜。宿：我国天文学家将天空中某些星的集合体叫作“宿”。

【译文】

开天辟地之初，天是青黑色的，大地是浑黄色的，辽阔无边的宇宙处在混沌蒙昧的状态中。太阳东升西落，月亮缺了又圆，它们周而复始地按照自己的规律运行，星辰布满了浩渺无际的太空。

hán lái shǔ wǎng, qiū shōu dōng cáng.
寒来暑往，秋收冬藏。
rùn yú chéng suì, lǜ lǚ tiáo yáng.
闰余成岁，律吕调阳。①

【注释】

①律吕：中国古代用竹管制成的矫正音律的器具。

【译文】

春夏秋冬循环变换，相互交替；秋天，人们忙着收割庄稼，冬天，开始储藏粮食准备过冬。人们开始懂得用闰月来弥补一年天数的不足，并且想到借用六律六吕来调节阴阳，使时序不紊乱。

yún téng zhì yǔ，lù jié wéi shuāng。
云 腾 致 雨，露 结 为 霜。
jīn shēng lì shuǐ，yù chū kūn gāng。
金 生 丽 水，玉 出 昆 冈。①

【注释】

①丽水：金沙江。昆冈：昆仑山。

【译文】

云气上升遇冷形成了雨，晚上露水遇冷就结成白霜。黄金产在金沙江，玉石则出在昆仑山上。

jiàn hào jù què，zhū chēng yè guāng。
剑 号 巨 阙，珠 称 夜 光。①
guǒ zhēn lǐ nài，cài zhòng jiè jiāng。
果 珍 李 柰，菜 重 芥 姜。②

【注释】

①巨阙：越王的宝剑。夜光：宝珠的名称。

②柰：即沙果，一种果木名，落叶小乔木，花朵白色，果实很小。

【译文】

最锋利的宝剑叫“巨阙”，最贵重的明珠叫

“夜光”。水果里最珍贵的是李子和沙果，蔬菜中最好的调味品是芥菜和生姜。

hǎi xián hé dàn，lín qián yǔ xiáng。
海咸河淡，鳞潜羽翔。
lóng shī huǒ dì，niǎo guān rén huáng。
龙师火帝，鸟官人皇。①

【注释】

①龙师：相传伏羲氏用龙给百官命名，因此他又被叫作“龙师”。火帝：神农氏用火给百官命名，因此叫他“火帝”。鸟官：少昊氏用鸟给百官命名，人们便叫他“鸟官”。人皇：传说中的三皇之一。

【译文】

海水是咸的，河水是淡的；鱼儿在水中游来游去，鸟儿在空中自由飞翔。龙师、火帝、鸟官、人皇，这些都是上古时代的贤良，他们治理有方，使得国家繁盛，人民安康。

shǐ zhì wén zì，nǎi fú yī cháng。
始制文字，乃服衣裳。
tuī wèi ràng guó，yǒu yú táo táng。
推位让国，有虞陶唐。①

【注释】

①有虞：传说中的远古部落名，舜是其首领。这里

指舜，又称虞舜。陶唐：传说中的远古部落名，尧是其首领。这里指尧，又称唐尧。

【译文】

仓颉（jié）创造了字，嫘（léi）祖制作了衣裳。唐尧、虞舜都是英明无私的君主，他们主动把君位禅让给有贤德才干的人，而不是传给自己的孩子。

diào mín fá zuì ， zhōu fā yīn tāng 。①
吊 民 伐 罪 ， 周 发 殷 汤 。

zuò cháo wèn dào ， chuí gǒng píng zhāng 。②
坐 朝 问 道 ， 垂 拱 平 章 。

【注释】

①周发：西周的第一个君主武王姬（jī）发，他讨伐暴君商纣王而建立周朝。殷汤：历史上商朝又称殷，成汤是第一个君主，他讨伐夏朝暴君桀（jié）而建立商朝。

②垂拱：形容不费力气而使天下太平，多用作称颂皇帝无为而治。平章：章，通“彰”，辨别彰明，显著。

【译文】

安抚百姓，讨伐暴君，说的就是周武王姬发和商君成汤。贤明的君主只要坐在朝廷上，向大臣们询问治国之道，就能毫不费力地使天下太平。

ài yù lí shǒu，chén fú róng qiāng。
爱育黎首，臣伏戎羌。

xiá ěr yī tǐ，shuài bīn guī wáng。①
遐迩一体，率宾归王。①

【注释】

①遐迩：指远近。率宾：即“率土之滨”指四海之内。

【译文】

他们会爱抚体恤老百姓，使四方各族都来俯首称臣。就这样，不管远远近近都统一在了一起，所有老百姓都心甘情愿归他统治。

míng fèng zài zhú，bái jū shí cháng。①
鸣凤在竹，白驹食场。①

huà bèi cǎo mù，lài jí wàn fāng。②
化被草木，赖及万方。②

【注释】

①驹：小马。

②被：覆盖，恩泽。

【译文】

凤凰在竹林中欢乐地鸣叫，小白马在草场上自由自在地吃食。这些都要归功于有贤能的君王啊！他们认真地治理国家，造福于人民，连花草树木都得到了恩惠。

gài cǐ shēn fà，sì dà wǔ cháng。①
盖此身发，四大五常。①

gōng wéi jū yǎng，qǐ gǎn huǐ shāng。②
恭惟鞠养，岂敢毁伤。②

【注释】

①盖：发语词，无实义。四大：指地、水、风、火。五常：指仁、义、礼、智、信。

②鞠养：抚养，养育。

【译文】

人的身体发肤是由四大五常等元素构成的，这一切都来自父母的生养爱护。所以，一定不能忘记父母的养育之恩，要好好地保护我们的身体发肤，不要损伤它们。

nǚ mù zhēn jié，nán xiào cái liáng。
女慕贞洁，男效才良。

zhī guò bì gǎi，dé néng mò wàng。①
知过必改，得能莫忘。①

【注释】

①莫忘：不应该丧失。

【译文】

女子要仰慕贞洁的妇女，男子要仿效有才能、道德的人。知道自己有错，一定要改正；已经具备的美德，就不应该再失去。

wǎng tán bǐ duǎn，mǐ shì jǐ cháng。
罔谈彼短，靡恃己长。①
xìn shǐ kě fù，qì yù nán liáng。
信使可覆，器欲难量。

【注释】

①罔：无，不，没有。靡：无，不，没有。恃：依赖，依仗。

【译文】

不要谈论别人的短处，也不要依仗自己的长处就不思进取。对人要诚实守信，言行要能经受住时间的考验，心胸要宽广得让人难以估量。

mò bēi sī rǎn，shī zàn gāo yáng。
墨悲丝染，《诗》赞羔羊。①
jǐng xíng wéi xián，kè niàn zuò shèng。
景行维贤，克念作圣。②

【注释】

①墨：墨子，战国初期思想家，墨家学派创始人。羔羊：通过咏羔羊毛色的洁白如一来赞颂君子的品德。

②景行：意思是对高山要抬头瞻仰，对贤人的品德要看齐，站到一个行列中去。克：克制。

【译文】

墨子感叹白丝容易染上杂色，《诗经》赞颂羔羊能始终保持洁白如一。要仰慕圣贤的品德，克制自己的私欲，努力仿效圣人。

dé jiàn míng lì，xíng duān biǎo zhèng。
德建名立，形端表正。

kōng gǔ chuán shēng，xū táng xí tīng。①
空谷传声，虚堂习听。①

【注释】

①习听：重复地听到，即回声。

【译文】

养成好的品德，就会有好的名声；形体端庄，仪表也会随之正直。在空旷的山谷中，呼喊声会传得很远，在宽敞的厅堂里说话，声音会反复听到。

huò yīn è jī，fú yuán shàn qìng。①
祸因恶积，福缘善庆。①

chǐ bì fēi bǎo，cùn yīn shì jìng。
尺璧非宝，寸阴是竞。

【注释】

①积：积聚。缘：因为。

【译文】

灾祸是作恶多端的结果，幸福是乐善好施的回报。一尺长的美玉不能算是真正的宝贝，而真正值得珍惜的是一分一秒的光阴。

zī fù shì jūn， yuē yán yǔ jìng。
资父事君，曰严与敬。①
xiào dāng jié lì， zhōng zé jìn mìng。
孝当竭力，忠则尽命。

【注释】

①事：侍奉。

【译文】

对待父亲，侍奉君主，要严肃而尊敬。孝顺父母应当全心全意，忠于君主则要不惜献出生命。

lín shēn lǚ bó， sù xīng wēn qìng。
临深履薄，夙兴温凊。①
sì lán sī xīn， rú sōng zhī shèng。
似兰斯馨，如松之盛。

【注释】

①夙：早。凊：凉。

【译文】

侍奉君主要像站在深渊前、走在薄冰上那样时刻小心谨慎；伺候父母要早起晚睡，让他们感到冬暖夏凉，一年四季都舒适。要让自己的德行像兰草那样清香，像松柏那样茂盛。

chuān liú bù xī，yuān chéng qǔ yìng。

川流不息，渊澄取映。①

róng zhǐ ruò sī，yán cí ān dìng。

容止若思，言辞安定。②

【注释】

①澄：清。

②容止：仪容举止。

【译文】

这些美好的德行就像流水一样，世世代代都不会间断，而且干净得像深潭的水一样清澈，可以照人。仪容举止要沉静安详，说话时要从容镇定，这样才能显得沉稳。

dǔ chū chéng měi，shèn zhōng yí lìng。

笃初诚美，慎终宜令。①

róng yè suǒ jī，jí shèn wú jìng。

荣业所基，籍甚无竟。②

【注释】

①笃：忠实，诚信。

②籍甚：盛大。

【译文】

坚持美好的德行，良好的开始固然重要，可要能做到善终就更好了。这些美好的德行都是事业发达的基础，前途也就没有止境了。

xué yōu dēng shì，shè zhí cóng zhèng。
学优登仕，摄职从政。①

cún yǐ gān táng，qù ér yì yǒng。
存以甘棠，去而益咏。②

【注释】

①优：有余力。摄：代理。

②甘棠：植物名，即棠梨。据记载，召公曾在甘棠树下办理政事，很有功绩。后来人们常用甘棠来比喻官员的德政。

【译文】

书读好了就可以去做官，可以担任官职，参与国家政事。人们时常怀念召公的德政，召公活着时曾在甘棠树下处理政事，他过世后老百姓更加怀念他了，守护着甘棠树，纷纷歌颂他的功德。

yuè shū guì jiàn，lǐ bié zūn bēi。
乐殊贵贱，礼别尊卑。

shàng hé xià mù，fū chàng fù suí。
上和下睦，夫唱妇随。①

【注释】

①唱：倡导。随：跟随。

【译文】

音乐要根据人们身份的高低而有所不同，礼节要根据人们地位的高下而有所区别。无论尊卑贵贱，上下都要和睦相处。夫妇要相互恩爱，丈夫倡导的，妻子要顺从拥护。

wài shòu fù xùn，rù fèng mǔ yí。
外受傅训，入奉母仪。①
zhū gū bó shū，yóu zǐ bǐ ér。
诸姑伯叔，犹子比儿。

【注释】

①奉：尊奉。

【译文】

在外接受师傅的教诲，在家遵从父母的教导。对待姑姑、伯伯、叔叔等长辈，要像是他们的亲生子女一样。

kǒng huái xiōng dì，tóng qì lián zhī。
孔怀兄弟，同气连枝。①
jiāo yǒu tóu fèn，qiē mó zhēn guī。
交友投分，切磨箴规。②

【注释】

①孔怀：指非常思念，后也代指兄弟。

②切磨：此引申为学问上的探讨研究。箴：劝诫，劝勉。

【译文】

兄弟之间要相互关心，因为都是父母的子女，如同树上的连理枝一样。结交朋友要意气相投，要能在学习上切磋提高，品行上互相勉励。

rén cí yǐn cè，zào cì fú lí。
仁慈隐恻，造次弗离。①

jié yì lián tuì，diān pèi fěi kuī。
节义廉退，颠沛匪亏。②

【注释】

①隐恻：怜悯，同情。

②颠沛：跌倒，比喻处境窘迫困顿。匪：非，不是。

【译文】

对人要有仁爱和同情之心，在任何时候、任何地方都不能丧失同情心。气节、正义、廉洁、谦让这些品德，在最穷困潦倒的时候也不可缺少。

xìng jìng qíng yì，xīn dòng shén pí。
性静情逸，心动神疲。

shǒu zhēn zhì mǎn，zhú wù yì yí。
守真志满，逐物意移。①

jiān chí yǎ cāo，hǎo jué zì mí。
坚持雅操，好爵自縻。②

【注释】

①守：坚守。真：天生的性情。

②縻：牵系，拴住，系住。

【译文】

保持内心的清静平定，情绪就会安逸舒适。心为外物所动，精神就会疲惫困倦。保持自己天生的善性，愿望就可以得到满足，追求物欲的享受，善性就会转移改变。坚定地保持高雅情操，好的职位自然就会属于你。

dū yì huá xià，dōng xī èr jīng。
都邑华夏，东西二京。①

bèi máng miàn luò，fú wèi jù jīng。
背邙面洛，浮渭据泾。②

gōng diàn pán yù，lóu guàn fēi jīng。
宫殿盘郁，楼观飞惊。③

【注释】

①都邑：国都，京城。

②邙：山名，北邙山，在河南省。

③盘郁：曲折，幽深。

【译文】

中国古代的都城华美壮观，东京有洛阳，西京有长安。洛阳北靠邙山，面临洛水；长安左靠渭水，右依泾河。那里的宫殿回环曲折，壮观的楼台宫阙令人叹为观止。

tú xiě qín shòu huà cǎi xiān líng
图写禽兽，画彩仙灵。
bǐng shè páng qǐ jiǎ zhàng duì yíng
丙舍旁启，甲帐对楹。①

【注释】

①丙舍：宫中别室。甲帐：汉武帝时所造的帐幕。

【译文】

殿里画着飞禽走兽和彩绘的天仙神灵。宫中供嫔妃居住的房子，敞开着门户，豪华的帐幕对着高高的柱子。

sì yán shè xí gǔ sè chuī shēng
肆筵设席，鼓瑟吹笙。①
shēng jiē nà bì biàn zhuǎn yí xīng
升阶纳陛，弁转疑星。②

【注释】

①笙：簧管乐器。

②陛：特指帝王宫殿的台阶。弁：古时的一种官帽，通常配礼服用。后泛指帽子。

【译文】

宫殿里摆着酒席，莺歌燕舞一片欢腾。官员们上下台阶互相祝酒，官帽转动着，像满天的星斗。

yòu tōng guǎng nèi， zuǒ dá chéng míng。①
右通广内，左达承明。

jì jí fén diǎn， yì jù qún yīng。②
既集坟典，亦聚群英。

【注释】

①广内：汉宫廷藏书的地方，指帝王书库。承明：宫殿名称。

②坟：《三坟》，记载三皇事迹的书。典：《五典》，记载五帝事迹的书。

【译文】

大殿的右面通向用以藏书的广内殿，左面则到达朝臣休息的承明殿。宫殿里收藏了很多典籍名著，也会集了成群的文武英才。

dù gǎo zhōng lì， qī shū bì jīng。①
杜稿钟隶，漆书壁经。

fǔ luó jiàng xiàng， lù jiā huái qīng。②
府罗将相，路侠槐卿。

【注释】

①杜稿：杜度的草书手稿。杜度是东汉时期的著名书法家。钟隶：钟繇的隶书真迹，钟繇是三国时期著名的书法家。漆书：古代没有纸笔时，人们把文字用漆写在竹简上。壁经：汉代鲁共王在曲阜孔子旧宅的墙壁内发现的古文经书。

②侠：同“夹”。

【译文】

里边有杜度草书的手稿和钟繇隶书的真迹，还有古人书写在竹简上的漆书，以及汉代鲁共王在孔子旧宅的墙壁内发现的古文经书。宫廷内将相依次排成两列，宫廷外官员们夹道站立。

hù fēng bā xiàn ， jiā jǐ qiān bīng 。
户 封 八 县 ， 家 给 千 兵 。
gāo guān péi niǎn ， qū gǔ zhèn yīng 。
高 冠 陪 辇 ， 驱 毂 振 缨 。①

【注释】

①辇：古时用人拉或推的车，秦汉之后特指皇后乘的车。毂：车轮，这里泛指车。

【译文】

他们每家都有八县以上的封地，还有上千名的侍卫武装。戴着高大帽子的官员们陪着皇帝出游，驾着车马，帽带随风飘舞，好不威风。

shì lù chǐ fù，chē jià féi qīng。
世禄侈富，车驾肥轻。

cè gōng mào shí，lè bēi kè míng。
策功茂实，勒碑刻铭。①

【注释】

①策功：指将功勋记录在策上。勒：刻。

【译文】

他们的子孙世代领受皇帝的赏赐，家财万贯。他们出门时轻车肥马，春风得意。朝廷还表彰他们的功勋，并记录在策上或是刻在碑石上以流传后世。

pán xī yī yǐn，zuǒ shí ē héng。
磻溪伊尹，佐时阿衡。①

yǎn zhái qū fù，wēi dàn shú yíng。
奄宅曲阜，微旦孰营。②

【注释】

①磻溪：姜太公吕尚曾经在磻溪钓鱼，后来人们就渐渐用磻溪来指代吕尚。伊尹：原为有莘（shēn）氏女的陪嫁奴隶，后来帮助商汤灭掉夏桀。阿衡：商朝官名，相当于宰相。

②旦：周公姬旦。

【译文】

姜太公辅佐周武王灭纣建立了周朝，伊尹辅佐汤王推翻夏桀建立了商朝。他们都是天下治世的能臣。周成王占领了曲阜一带，要不是周公旦辅政哪里能成？

huán gōng kuāng hé，jì ruò fú qīng
桓公匡合，济弱扶倾。①
qǐ huí hàn huì，yuè gǎn wǔ dīng
绮回汉惠，说感武丁。②

【注释】

①匡：正，纠正，端正。

②绮：绮里季，“商山四皓”之一。说：傅说。傅说原来是一个奴隶，武丁梦见了他，便画像求访，找到以后，让他当了宰相。

【译文】

齐桓公安抚了天下诸侯，帮助弱小，拯救危亡。汉惠帝做太子时靠绮里季才没有被废掉。傅说帮助商君武丁兴盛了商朝。

jùn yì mì wù，duō shì shí níng
俊乂密勿，多士寔宁。①
jìn chǔ gēng bà，zhào wèi kùn héng
晋楚更霸，赵魏困横。②

【注释】

①乂：治理，安定。

②横：连横。战国时，苏秦说服六国联合抗秦，史称“合纵”。张仪主张拆散“合纵”，使六国个个服从秦国，称为“连横”。

【译文】

贤才的勤奋谨慎，换来了百官的各安其位。晋文公、楚庄王先后称霸，赵国、魏国则受困于秦国。

jiǎ tú miè guó， jiàn tǔ huì méng。
假途灭虢，践土会盟。

hé zūn yuē fǎ， hán bì fán xíng。①
何遵约法，韩弊烦刑。①

【注释】

①何：萧何，汉高祖时的丞相。韩：韩非。弊：意为作法自毙。

【译文】

虞公因不听部下的劝告，在晋国灭掉虢国之后，自己的国家也被晋国灭掉了。晋文公在践土召集诸侯会盟。萧何遵照汉高祖简约的法律精神制定了九律。韩非惨死在他自己所主张的苛刑之下。

qǐ jiǎn pō mù， yòng jūn zuì jīng。①

起翦颇牧，用军最精。①

xuān wēi shā mò， chí yù dān qīng。

宣威沙漠，驰誉丹青。

【注释】

①起：秦国名将白起。翦：秦国名将王翦。颇：赵国名将廉颇。牧：赵国名将李牧。

【译文】

秦国大将白起、王翦，赵国大将廉颇、李牧，用兵作战最为精通。他们的声威远扬到北方的沙漠，美名和肖像永远流传在千古史册之中。

jiǔ zhōu yǔ jì， bǎi jùn qín bìng。

九州禹迹，百郡秦并。

yuè zōng tài dài， shàn zhǔ yún tíng。①

岳宗泰岱，禅主云亭。①

【注释】

①岱：泰山的别称。禅：古代帝王祭地，叫作“禅”。

【译文】

九州之内都留下了大禹治水的足迹，秦朝时中国统一了起来。五岳之中以泰山为尊，历代帝王都在泰山脚下的云云山和亭亭山主持禅礼，祭拜大地。

yàn mén zǐ sāi，jī tián chì chéng。
雁门紫塞，鸡田赤城。①

kūn chí jié shí，jù yě dòng tíng。
昆池碣石，巨野洞庭。②

【注释】

①紫塞：北方边塞，这里指长城。鸡田：西北塞外地名。赤城：古城名，今属河北。

②昆池：即昆明滇池。碣石：碣石山，在今河北昌黎北。巨野：古湖泽名，在今山东巨野北五里。

【译文】

北疆有雁门关、长城，古代的驿站有鸡田、赤城。昆明滇池是西南的湖泊，河北碣石是东海的名山，山东巨野是北方的沼泽，湖南洞庭湖是南方的巨泊。

kuàng yuǎn mián miǎo，yán xiù yǎo míng。
旷远绵邈，岩岫杳冥。①

zhì běn yú nóng，wù zī jià sè。
治本于农，务兹稼穑。②

【注释】

①绵邈：连绵幽远的样子。岩岫杳冥：岫，山洞；杳，幽暗，深远，见不到踪影；冥，昏暗。

②稼穑：种植和收割。泛指农业劳动。

【译文】

中国土地辽阔，没有穷极，名山奇谷幽深秀丽，气象万千。治国的根本在于农业，所以，一定要致力于农业的发展。

chù zài nán mǔ，wǒ yì shǔ jì。
俶载南亩，我艺黍稷。①
shuì shú gòng xīn，quàn shǎng chù zhì。
税熟贡新，劝赏黜陟。②

【注释】

①俶：开始。载：从事。黍稷：黍、稷，植物名，都是我国古老的食用作物。

②黜：贬职，罢免。陟：晋升，奖励。

【译文】

一年的农活开始后，人们都忙着种植庄稼。到了收获季节，人们用刚熟的谷子缴纳粮税。庄稼种得好的受到表彰和赏赐，种得不好的就要受到处罚。

mèng kē dūn sù，shǐ yú bǐng zhí。
孟轲敦素，史鱼秉直。①
shù jī zhōng yōng，láo qiān jǐn chì。
庶几中庸，劳谦谨敕。②

【注释】

①敦：崇尚。素：纯真，朴素。

②庶几：几乎，差不多。谨敕：谨慎。

【译文】

孟子崇尚朴素纯真，史鱼性格刚直。做人要尽可能做到不偏不倚，保持中庸，同时还要勤劳谦逊，谨慎检点。

líng yīn chá lǐ，jiàn mào biàn sè。
聆音察理，鉴貌辨色。

yí jué jiā yóu，miǎn qí zhī zhí。
贻厥嘉猷，勉其祗植。①

【注释】

①贻：赠给。厥：他的。猷：计划，谋划。祗：恭敬。植：立身处世。

【译文】

要善于从别人的言语中审察对方的心意，观察脸色来揣摩对方的心理。要给人家留下好的忠告或建议，勉励别人谨慎小心地处世立身。

xǐng gōng jī jiè，chǒng zēng kàng jí。
省躬讥诫，宠增抗极。①

dài rǔ jìn chǐ，lín gāo xìng jí。
殆辱近耻，林皋幸即。②

【注释】

①躬：自己，自身。

②殆：接近。皋：水边的高地。

【译文】

听到别人的劝诫，要反省自身，受到恩宠不要得意忘形。因为这时候危险、耻辱的事情也在向你逼近，如果能及早地归隐山林，就可以幸免于难。

liǎng shū jiàn jī， jiě zǔ shuí bī。①
两疏见机，解组谁逼。

suǒ jū xián chǔ， chén mò jì liáo。
索居闲处，沉默寂寥。

【注释】

①两疏：指疏广、疏受，他们都是汉代大臣。见机：找到合适的时机。解组：辞去官职。

【译文】

汉代的疏广、疏受叔侄身居高位的时候，找到时机就辞官还乡了，难道有谁逼迫他们辞去官职吗？离群独居，悠闲度日，整天不用多费唇舌，过着清静无为的生活，难道不是好事吗？

qiú gǔ xún lùn， sàn lǜ xiāo yáo。①
求古寻论，散虑逍遥。

xīn zòu lèi qiǎn， qī xiè huān zhāo。
欣奏累遣，戚谢欢招。②

【注释】

①论：古人的事情、言论。

②累：烦恼。

【译文】

悠闲的时候多读读古人的名篇典籍、至理名言，就可以排除杂念，自在逍遥。多做使自己心神愉悦的事，排遣使自己心烦意乱的事，消除无尽的烦恼，就会得来无限的快乐。

qú hé dì lì， yuán mǎng chōu tiáo。
渠荷的历，园莽抽条。①

pí pá wǎn cuì， wú tóng zǎo diāo。
枇杷晚翠，梧桐蚤凋。②

【注释】

①的历：光彩烂灼的样子。

②蚤：通“早”。

【译文】

池塘中的荷花开得鲜艳夺目，园林内的青草长出了嫩芽。到了冬天枇杷叶子还是苍翠欲滴，梧桐一到秋天叶子就早早凋谢了。

chén gēn wěi yì，luò yè piāo yáo
陈根委翳，落叶飘摇。①

yóu kūn dú yùn，líng mó jiàng xiāo
游鹍独运，凌摩绛霄。②

【注释】

①委翳：枯萎。

②鹍：传说中的一种大鸟。

【译文】

老树根已衰萎枯死，落叶在秋风里四处飘荡。只有远游的大鸟在天际独自飞翔，直冲布满彩霞的云霄。

dān dú wán shì，yù mù náng xiāng
耽读玩市，寓目囊箱。①

yì yóu yōu wèi，zhǔ ěr yuán qiáng
易輶攸畏，属耳垣墙。②

【注释】

①囊箱：装书的箱子。

②易輶：意思是君子不要随便说话。攸：所，助词。垣：矮墙，也泛指墙。

【译文】

汉代王充在街市上沉迷留恋于读书，眼睛注视的全是书箱和书籍。对于言谈举止，不可随随便便、毫无畏忌，说话要防止隔墙有耳。

jù shàn cān fàn，shì kǒu chōng cháng。①
具膳餐饭，适口充肠。
bǎo yù pēng zǎi，jī yàn zāo kāng。②
饱饫烹宰，饥厌糟糠。

【注释】

①具：准备，安排。

②饫：饱食。厌：通“餍”，满足。

【译文】

安排一天的饭食，要适合各人的口味，让人吃得饱。饱的时候自然对于大鱼大肉也会厌倦，饿的时候即使粗菜淡饭也会满足。

qīn qī gù jiù，lǎo shào yì liáng。
亲戚故旧，老少异粮。
qiè yù jì fǎng，shì jīn wéi fáng。①
妾御绩纺，侍巾帷房。

【注释】

①绩纺：泛指纺织。帷房：房屋的内间。

【译文】

亲属、朋友会面要盛情款待，老人、小孩要用不同的食物来招待，不能一律对待。妻妾要管理好家务，尽心恭敬地伺候好家人。

wán shàn yuán jié　yín zhú wěi huáng
纨扇圆洁，银烛炜煌。①
zhòu mián xī mèi　lán yún xiàng chuáng
昼眠夕寐，蓝笋象床。

【注释】

①纨：很细的丝织品。

【译文】

圆圆的扇子洁白素雅，白白的蜡烛明亮辉煌。白日常有片刻休息，晚上按时睡觉，睡在青青的竹子编成的席上和象牙雕饰的床上，自然是一件快乐的事。

xián gē jiǔ yàn　jiē bēi jǔ shāng
弦歌酒宴，接杯举觞。①
jiǎo shǒu dùn zú　yuè yù qiě kāng
矫手顿足，悦豫且康。②

【注释】

①觞：酒杯。

②悦豫：高兴，快乐。

【译文】

在有歌舞助兴的酒宴上，一杯接一杯地开怀畅饮，直喝得手舞足蹈，真是既快乐又安康。

dí hòu sì xù，jì sì zhēng cháng。
嫡后嗣续，祭祀烝尝。①
qǐ sǎng zài bài，sǒng jù kǒng huáng。
稽颡再拜，悚惧恐惶。②

【注释】

①嫡：奴隶社会、封建社会中正妻所生的长子。烝尝：代指四时祭祀。

②稽颡：屈膝下拜，以额头触地的一种跪拜礼，表示极度的虔诚和感谢。

【译文】

子孙一代一代地传续，一年四时的祭祀大礼不能疏忽懈怠。跪着磕头，拜了又拜；礼仪要周全恭敬，心情要敬畏虔诚。

jiān dié jiǎn yào，gù dá shěn xiáng。
笺牒简要，顾答审详。①
hái gòu xiǎng yù，zhí rè yuàn liáng。
骸垢想浴，执热愿凉。②

【注释】

①笺：文书，书信。

②骸：身体。

【译文】

给人的书信要简单明了，回答别人的问题时要审慎周详。身上脏了就想洗个澡，就好比捧着热东西就希望有风把它吹凉，这是人之常情。

lǘ luó dú tè， hài yuè chāo xiāng。

驴骡犊特，骇跃超骧。①

zhū zhǎn zéi dào， bǔ huò pàn wáng。

诛斩贼盗，捕获叛亡。②

【注释】

①骡：骡子。犊：小牛。骧：奔驰。

②诛：杀死，铲除。

【译文】

家里的牲畜一旦受到惊吓就会东奔西跑，狂蹦乱跳。官府除暴安良，捕获叛乱分子和亡命之徒，这是消除祸患的必需措施，要尽职尽忠。

bù shè liáo wán， jī qín ruǎn xiào。

布射僚丸，嵇琴阮啸。①

tián bǐ lún zhǐ， jūn qiǎo rén diào。

恬笔伦纸，钧巧任钓。②

【注释】

①布：吕布，三国时期的武将。僚：宜僚，春秋时期的人物，善于玩弹弓。嵇：嵇康，魏晋时期的名士，善于弹琴和咏诗。阮：阮籍，魏晋时期的名士。

②恬：蒙恬，秦朝时期的大将。钧：马钧，三国时期的人物。

【译文】

吕布精于射箭，宜僚善玩弹弓，嵇康擅长弹琴，阮籍善于长啸。蒙恬制造了毛笔，蔡伦改进了造纸术，马钧发明了指南车、水车，任公子善于钓鱼。

shì fēn lì sú，bìng jiē jiā miào。
释纷利俗，并皆佳妙。
máo shī shū zī，gōng pín yán xiào。①
毛施淑姿，工颦妍笑。①

【注释】

①毛：毛嫱。施：西施。工：善。颦：皱眉。妍：美丽。

【译文】

他们或者善于为人解决纠纷，或者善于发明创造有利于社会，这些都非常精巧，为世人所称道。毛嫱、西施都有美丽的容颜，哪怕皱着眉头，也像是在美美地笑。

nián shǐ měi cuī，xī huī lǎng yào。①
年矢每催，曦晖朗曜。①

xuán jī xuán wò，huì bà huán zhào。

璇玑悬斡，晦魄环照。②

【注释】

①矢：箭。曜：日光照耀。

②璇玑：古代指称北斗星。斡：旋转。晦魄：指月亮，晦指阴历的月末，魄指月初出或将没时的微光。

【译文】

青春易逝，岁月像箭一样匆匆流逝，只有太阳的光辉永远朗照。高悬的北斗星随着四季变换转动，月圆月缺循环照耀。

zhǐ xīn xiū hù，yǒng suí jí shào。

指薪修祜，永绥吉劭。①

jǔ bù yǐn lǐng，fǔ yǎng láng miào。

矩步引领，俯仰廊庙。

【注释】

①指薪：即“脂薪”，意用木柴烧火，木柴终有穷尽的时候，而火往下传却不会灭。祜：福。绥：平安，安抚。劭：美好。

【译文】

不断去做美好的事情，就像不断地把柴火投入火中一样，能为自己修德积福，永远平安。如此心地坦然，方可以昂头迈步，一举一动都像在神圣的庙宇中一样仪表庄重。

shù dài jīn zhuāng　pái huái zhān tiào
束带矜庄，徘徊瞻眺。①

gū lòu guǎ wén　yú méng děng qiào
孤陋寡闻，愚蒙等诮。②

wèi yǔ zhù zhě　yān zāi hū yě
谓语助者，焉哉乎也。③

【注释】

①矜：庄重，威严。

②诮：讥讽，嘲讽。

③谓：说到，提及。

【译文】

穿着整齐端庄，举止从容，来回走动都要合乎礼貌，注意仪表风范。见识浅短的人，与那些愚昧无知的人一样会遭到别人的耻笑。说到古书中的语助词，那就是“焉”“哉”“乎”“也”了。

弟子规

〔清〕李毓秀

【总叙】

dì zǐ guī, shèng rén xùn
弟子规，圣人训。①

shǒu xiào tì, cì jǐn xìn
首孝弟，次谨信。②

fàn ài zhòng, ér qīn rén
泛爱众，而亲仁。③

yǒu yú lì, zé xué wén
有余力，则学文。

【注释】

①规：守则，准则。训：训导。

②信：诚实。

③仁：有德行的人。

【译文】

《弟子规》这本书是依据圣人的教诲编成的，其中提出了许多生活规范。在日常生活中，首先要做到孝顺父母，友爱兄弟姊妹。其次，言语行为要小心谨慎，诚实无欺。和大众相处时要平等博爱，并且亲近有仁德的人，向他们学习。如果这些事情做了之后还有多余的时间、精力，就应该好好地学习典籍，以获得有益的学问。

【入则孝出则悌】

fù mǔ hū，yìng wù huǎn；①
父母呼，应勿缓；

fù mǔ mìng，xíng wù lǎn。
父母命，行勿懒。

fù mǔ jiào，xū jìng tīng；
父母教，须敬听；

fù mǔ zé，xū shùn chéng。②
父母责，须顺承。

【注释】

①呼：呼唤。缓：缓慢，迟缓。

②顺承：顺从地接受。

【译文】

父母呼唤，应及时回答，不要慢吞吞地应答。父母有事交代，要立刻动身去做，不可拖延或推辞偷懒。父母教导我们为人处世的道理，应该恭敬地聆听。对父母的责备，要顺从地接受。

dōng zé wēn，xià zé qìng；①
冬则温，夏则凊；

chén zé xǐng，hūn zé dìng。②
晨则省，昏则定。

chū bì gào，fǎn bì miàn；③
出必告，反必面；

jū yǒu cháng，yè wú biàn。
居有常，业无变。

【注释】

①冬则温，夏则凊：《二十四孝·扇枕温衾》："后汉黄香，年九岁，失母，思慕惟切。乡人称其孝。身执勤苦，事父尽孝。夏天暑热，扇凉其枕簟。冬天寒冷，以身暖其被席。"

②省：问候，探望。

③反：同"返"，回来。

【译文】

侍奉父母要用心体贴，汉代的黄香为了让父亲安心睡眠，夏天睡前会帮父亲把床铺扇凉，冬天睡前会为父亲温暖被窝。早晨起床之后，应该先探望父母，并向父母请安问好。晚上要侍候父母睡好觉。外出办事时，必禀告父母，回来后也要面告父母，以免父母挂念。居处要有固定的地方，职业要稳定不能经常变化。

shì suī xiǎo，wù shàn wéi；
事虽小，勿擅为；①

gǒu shàn wéi，zǐ dào kuī。
苟擅为，子道亏。②

wù suī xiǎo，wù sī cáng；
物虽小，勿私藏；

gǒu sī cáng，qīn xīn shāng。
苟私藏，亲心伤。③

【注释】

①为：做。

②苟：假如。亏：欠缺，短少。

③亲：父母。

【译文】

纵然是小事，也不要任性擅自做主，而不向父母禀告。如果任性而为，容易出错，就有损为人子女的本分，让父母担心是不孝的行为。东西虽小，也不可以私自收藏占为己有。如果私藏，父母亲知道了一定很伤心。

qīn suǒ hào，lì wèi jù；

亲所好，力为具；①

qīn suǒ wù，jǐn wèi qù。

亲所恶，谨为去。②

shēn yǒu shāng，yí qīn yōu；

身有伤，贻亲忧；③

dé yǒu shāng，yí qīn xiū。

德有伤，贻亲羞。④

【注释】

①具：准备。

②恶：厌恶，讨厌。

③身有伤：《孝经》："身体发肤受之父母，不敢毁伤，孝之始也。立身行道，扬名于后也，以显父母，孝之

终也。”

④贻：遗留。

【译文】

凡是父母所喜欢的东西，一定要努力准备齐全。凡是父母所厌恶的东西，一定要小心谨慎地处理掉。如果我们的身体受到伤害，会让父母担忧。如果我们的品德有了污点，会让父母感到羞耻。

qīn ài wǒ，xiào hé nán？
亲爱我，孝何难？

qīn zēng wǒ，xiào fāng xián。①
亲憎我，孝方贤。①

qīn yǒu guò，jiàn shǐ gēng，②
亲有过，谏使更，②

yí wú sè，róu wú shēng。③
怡吾色，柔吾声。③

【注释】

①方：才。

②过：过错。谏：用言语规劝尊长。更：更改。

③怡：使……和悦。柔：使……柔和。

【译文】

父母爱我，我孝敬父母，这并不是一件难事；如果父母不爱我，而我又能孝敬父母，这才是真正的大孝。如果父母有了过失，我们要劝其改过；劝的时候一定要和颜悦色，声调柔和。

jiàn bù rù，yuè fù jiàn，
谏不入，悦复谏，
háo qì suí，tà wú yuàn。①
号泣随，挞无怨。①
qīn yǒu jí，yào xiān cháng，②
亲有疾，药先尝，②
zhòu yè shì，bù lí chuáng。
昼夜侍，不离床。

【注释】

①号泣：大哭。挞：打。

②疾：病。

【译文】

如果父母不接受规劝，也不要着急，待父母情绪好时再劝。如果父母还是不听规劝，要哭泣着恳求他们改过，如果父母生气打子女，子女应甘愿接受绝无怨言。父母生病的时候，煎好的汤药，做子女的都要先尝一尝。照料生病的父母要日夜服侍在床前，不离开一步。

sāng sān nián，cháng bēi yè，
丧三年，常悲咽，
jū chù biàn，jiǔ ròu jué。
居处辨，酒肉绝。

sāng jìn lǐ，jì jìn chéng，
丧尽礼，祭尽诚，①

shì sǐ zhě，rú shì shēng。
事死者，如事生。②

【注释】

①尽：竭尽，尽力。礼：礼仪。

②事：对待。

【译文】

父母去世之后，守孝三年，要常常伤心痛苦，追思父母的恩德。自己的生活起居必须调整改变，不能贪图享受，应该戒绝酒肉。办理父母亲的丧事要合乎礼节，举行祭礼时要表达出极大的诚恳。对待已经去世的父母，要如同生前一样恭敬。

xiōng dào yǒu，dì dào gōng，
兄道友，弟道恭，

xiōng dì mù，xiào zài zhōng。
兄弟睦，孝在中。①

cái wù qīng，yuàn hé shēng？
财物轻，怨何生？

yán yǔ rěn，fèn zì mǐn。
言语忍，忿自泯。②

【注释】

①睦：和睦。

②忿：怨恨。泯：尽，消失。

【译文】

兄长要善待弟弟，弟弟要恭敬兄长。兄弟之间和睦相处，对父母的孝心就包含其中了。不爱财，就不会产生怨恨；说话时尊重、忍让，隔阂、怨恨自然也就消失了。

huò yǐn shí huò zuò zǒu
或饮食，或坐走，
zhǎng zhě xiān yòu zhě hòu
长者先，幼者后。
zhǎng hū rén jí dài jiào
长呼人，即代叫，①
rén bù zài jǐ jí dào
人不在，己即到。②

【注释】

①代叫：代为呼叫。

②即：立即，立刻。

【译文】

不论用餐就座或行走，都应该谦虚礼让，长幼有序，让年长者优先，年幼者在后。长辈有事呼唤人，应代为呼叫，如果那个人不在，自己应该立刻主动去询问是什么事。

chēng zūn zhǎng wù hū míng
称尊长，勿呼名，

duì zūn zhǎng，wù xiàn néng。①
对尊长，勿见能。

lù yù zhǎng，jí qū yī，②
路遇长，疾趋揖，

zhǎng wú yán，tuì gōng lì。
长无言，退恭立。

【注释】

①见：表露，表现。

②趋：疾走。揖：拱手礼。

【译文】

称呼长辈，不可以直呼姓名，在长辈面前，要谦虚有礼，不可以炫耀自己的才能。走在路上如果遇到尊长，要快步迎上去行礼问候。如果尊长不说话，要退在一旁恭恭敬敬地站立。

qí xià mǎ，chéng xià chē，
骑下马，乘下车，

guò yóu dài，bǎi bù yú。
过犹待，百步余。

zhǎng zhě lì，yòu wù zuò，①
长者立，幼勿坐，

zhǎng zhě zuò，mìng nǎi zuò。
长者坐，命乃坐。

【注释】

①长者立：《礼记·曲礼》："见父之执，不谓之进不敢进，不谓之退不敢退，不问不敢对，此孝子之行也。"

【译文】

如果自己骑着马时遇见长者要下马，坐着车时遇到长者要下车。长辈走后，自己还要在原地待一会儿，等长辈走到百步以外，自己才能上马或上车。如果长辈站着，年幼的人就不可以坐下，长辈坐下以后让你坐，这时你才可以坐。

zūn zhǎng qián，shēng yào dī，
尊长前，声要低，①
dī bù wén，què fēi yí。
低不闻，却非宜。
jìn bì qū，tuì bì chí，
进必趋，退必迟，
wèn qǐ duì，shì wù yí。
问起对，视勿移。

【注释】

①尊长前：《礼记·曲礼》：“毋侧听，毋噭应，毋淫视，毋怠荒。”

【译文】

在长辈面前说话，声音要低些，但是也不能太低，要是低到听不清楚，那也是不适宜的。在见尊长的时候，走路要快些，见过尊长告退的时候，动作一定要迟缓。长辈问话时要站起来回答，双目要望着长辈，不能左顾右盼。

shì zhū fù, rú shì fù;
事诸父，如事父；①
shì zhū xiōng, rú shì xiōng.
事诸兄，如事兄。

【注释】

①事诸父：《孟子·梁惠王上》："老吾老以及人之老，幼吾幼以及人之幼，天下可运于掌。"

【译文】

服侍叔伯等父辈，要像服侍自己的父亲一样恭敬。对待堂、表等兄长，要像对待自己的胞兄一样恭敬。

【谨而信】

zhāo qǐ zǎo， yè mián chí，
朝起早，夜眠迟，
lǎo yì zhì， xī cǐ shí。
老易至，惜此时。
chén bì guàn， jiān shù kǒu，
晨必盥，兼漱口，
biàn niào huí， zhé jìng shǒu。①
便溺回，辄净手。①

【注释】

①溺：同“尿”。辄：总是，就。

【译文】

清晨要早起，晚上要迟睡。一个人很容易从少年就到了老年，所以每个人都要珍惜此时此刻的宝贵时光。早晨起床后一定要洗脸洗手，在洗脸洗手的时候，还要刷牙漱口。每次大小便完毕，都要把手洗干净。

guān bì zhèng， niǔ bì jié，①
冠必正，纽必结，①
wà yǔ lǚ， jù jǐn qiè。②
袜与履，俱紧切。②
zhì guān fú， yǒu dìng wèi，
置冠服，有定位，
wù luàn dùn， zhì wū huì。③
勿乱顿，致污秽。③

【注释】

①纽：纽带，系结用的带子。

②紧切：穿好鞋，结紧系带。

③顿：放置，安放妥当。秽：污脏。

【译文】

帽子一定要戴端正，穿衣服时要把纽扣扣好，袜子和鞋子都要穿整齐，鞋带要系紧。脱下来的帽子和衣服应当放置在一个固定的地方，不能随便乱扔，以免把衣帽弄脏。

yī guì jié，bù guì huá，
衣贵洁，不贵华，
shàng xún fèn，xià chèn jiā。①
上循分，下称家。①
duì yǐn shí，wù jiǎn zé，
对饮食，勿拣择，
shí shì kě，wù guò zé。②
食适可，勿过则。②

【注释】

①上循分，下称家：《礼记·少仪》："衣服在躬而不知其名为罔。"分：身份。称：适合，相当。

②则：法则，成法。

【译文】

衣服穿着贵在整洁干净，而不在于华贵漂亮。穿的衣服要符合自己的身份，也要和自己的家境状

况相称。对于食物不要挑挑拣拣。吃饭时要适可而止，不能铺张浪费。

nián fāng shào wù yǐn jiǔ
年 方 少 ， 勿 饮 酒 ， ①
yǐn jiǔ zuì zuì wéi chǒu
饮 酒 醉 ， 最 为 丑 。
bù cóng róng lì duān zhèng
步 从 容 ， 立 端 正 ，
yī shēn yuán bài gōng jìng
揖 深 圆 ， 拜 恭 敬 。

【注释】

①方：正当，正值。

【译文】

在自己正年轻的时候，千万不要喝酒，因为一旦喝醉了，就会丑态百出而丢脸。走路时要不紧不慢从容大方，站立时要端庄直立。作揖行礼时要把身子躬下去，叩头的时候要表现得恭恭敬敬。

wù jiàn yù wù bǒ yǐ
勿 践 阈 ， 勿 跛 倚 ， ①
wù jī jù wù yáo bì
勿 箕 踞 ， 勿 摇 髀 。 ②
huǎn jiē lián wù yǒu shēng
缓 揭 帘 ， 勿 有 声 ，
kuān zhuǎn wān wù chù léng
宽 转 弯 ， 勿 触 棱 。 ③

【注释】

①阈：门槛。跛倚：斜靠在某物上。

②箕踞：两腿叉开蹲着或坐着。髀：大腿。

③棱：物体的棱角。

【译文】

出入家门时不要把脚踩在门槛上，不要斜靠着物体，坐时不要把两腿叉开，不要摇晃大腿。进门时要缓慢地揭开门帘，不能弄出声响。走路拐弯时角度要大些，以免碰到棱角。

zhí xū qì，rú zhí yíng；
执虚器，如执盈；①

rù xū shì，rú yǒu rén。
入虚室，如有人。

shì wù máng，máng duō cuò，
事勿忙，忙多错，

wù wèi nán，wù qīng lüè。
勿畏难，勿轻略。②

【注释】

①虚：空的。盈：这里是指装满东西的器物。

②轻略：轻慢，草率。

【译文】

拿着空的器具，也要像拿里面装满东西时一样小心。进入无人的房间，也要像有人在一样。做事

情不可太匆忙，太匆忙则容易出错。做事不要怕困难，也不能轻率随便、敷衍了事。

dǒu nào chǎng，jué wù jìn；①
斗闹场，绝勿近；

xié pì shì，jué wù wèn。②
邪僻事，绝勿问。

jiāng rù mén，wèn shú cún；
将入门，问孰存；

jiāng shàng táng，shēng bì yáng。③
将上堂，声必扬。

【注释】

①绝：戒，杜绝。

②邪僻事：乖戾不正的事情。

③堂：前室，正厅。

【译文】

凡是打架闹事的场所，绝对不要接近；一些邪恶下流、荒诞不经的事，也不要好奇地去追问。进门之前，应先问："有人在吗？"进入客厅之前，声音要高一些。

rén wèn shuí，duì yǐ míng，①
人问谁，对以名，

wú yǔ wǒ，bù fēn míng。
吾与我，不分明。

yòng rén wù，xū míng qiú，②
用人物，须明求，

tǎng bù wèn，jí wéi tōu。

倘不问，即为偷。

jiè rén wù，jí shí huán；

借人物，及时还；

rén jiè wù，yǒu wù qiān。③

人借物，有勿悭。③

【注释】

①对：回答。

②明求：提出请求。

③悭：吝啬。

【译文】

当有人问“你是谁”的时候，你应当报出自己的名字，不能只是说“我，吾”，使对方不明白。要用别人的东西，必须明确地向物主提出请求；假如你不经过别人的允许就拿，那就是偷窃了。借了别人的东西，要在约定的时间里归还。别人向你借东西，如果自己有的话应当答应不要小气不借。

fán chū yán，xìn wéi xiān，

凡出言，信为先，

zhà yǔ wàng，xī kě yān！①

诈与妄，奚可焉！①

huà shuō duō，bù rú shǎo，

话说多，不如少，

wéi qí shì，wù nìng qiǎo。②

惟其是，勿佞巧。②

【注释】

①奚：何，怎么。

②惟：只有，只要。佞巧：花言巧语骗人。

【译文】

凡是说出的话，首先要讲求信用。欺骗蒙混，胡言乱语，这怎么可以呢？说话多，不如少说，说话实事求是，不要花言巧语。

kè bó yǔ，huì wū cí，
刻薄语，秽污词，

shì jǐng qì，qiè jiè zhī。①
市井气，切戒之。①

jiàn wèi zhēn，wù qīng yán；
见未真，勿轻言；

zhī wèi dí，wù qīng chuán。②
知未的，勿轻传。②

【注释】

①市井气：街头无赖不好的习气。

②的：确实。

【译文】

尖酸刻薄的语言，下流粗俗的话语，以及街头无赖粗俗的习气，都要彻底戒除。没有看清楚的事情，不能轻易发表意见；对于自己没有明确了解的事，不要轻易传播散布。

shì fēi yí，wù qīng nuò，
事非宜，勿轻诺，①
gǒu qīng nuò，jìn tuì cuò。
苟轻诺，进退错。
fán dào zì，zhòng qiě shū，
凡道字，重且舒，②
wù jí jí，wù mó hú。
勿急疾，勿模糊。

【注释】

①诺：许诺。

②道字：说话吐字。舒：流畅。

【译文】

对于不妥当的事情，不能随便答应别人，假如你轻易许诺，就会进退两难，做也是错不做也是错。凡是说话的时候，吐词要重而且流畅。说话时不能讲得太快，不能讲得含糊不清。

bǐ shuō cháng，cǐ shuō duǎn，
彼说长，此说短，
bù guān jǐ，mò xián guǎn。
不关己，莫闲管。①
jiàn rén shàn，jí sī qí，
见人善，即思齐，②
zòng qù yuǎn，yǐ jiàn jī。
纵去远，以渐跻。③

【注释】

①莫闲管：不要多管闲事。

②见人善，即思齐：《论语·里仁》："见贤思齐焉，见不贤而内自省也。"

③跻：登，上升。

【译文】

那个说东家长，这个说西家短，如果别人说的这些事情与己无关，就不要去多管闲事。看到别人的善行，就要向他看齐，即使和他的差距很远，只要自己努力去做，也会渐渐赶上他。

jiàn rén è，jí nèi xǐng，①
见人恶，即内省，
yǒu zé gǎi，wú jiā jǐng。②
有则改，无加警。
wéi dé xué，wéi cái yì，
惟德学，惟才艺，
bù rú rén，dāng zì lì。③
不如人，当自励。

【注释】

①省：反省。

②警：戒备，警备。

③励：磨炼，训练。

【译文】

看见别人做了坏事，就要进行自我检讨。如果发现自己有错就要加以改正，如果自己没有做错事

也要自我警惕。只要有品德、学问、才能、技艺不如别人的时候，就应当自我勉励，赶上别人。

ruò yī fú ruò yǐn shí
若衣服，若饮食，

bù rú rén wù shēng qī
不如人，勿生戚。①

wén guò nù wén yù lè
闻过怒，闻誉乐，②

sǔn yǒu lái yì yǒu què
损友来，益友却。③

【注释】

①戚：忧伤。

②过：错误。誉：赞誉。

③却：退却。

【译文】

穿着、饮食不如他人，不要忧伤、自卑，听到别人说自己的缺点就生气，听到别人称赞自己就欢喜，那么不好的朋友就会来到你身边，对你有益的朋友就会离你而去。

wén yù kǒng wén guò xīn
闻誉恐，闻过欣，

zhí liàng shì jiàn xiāng qīn
直谅士，渐相亲。①

wú xīn fēi míng wéi cuò
无心非，名为错；②

yǒu xīn fēi， míng wéi è
有心非，名为恶。

guò néng gǎi， guī yú wú
过能改，归于无，③

tǎng yǎn shì， zēng yī gū
倘掩饰，增一辜。④

【注释】

①谅：诚信，信实。

②无心：无意间。非：错误。

③过：错误。

④辜：罪。

【译文】

听见恭维的话会感到不安，听见别人指责自己的过错便欣然接受，这样正直诚信的人就会越来越乐于和你接近。无意之间犯的错误称为过错，若是有意犯错那便是罪恶。如果犯了过错勇于改正，就跟没有犯过错误一样。如果犯了错误而加以掩饰，那就是错上加错了。

【泛爱众而亲仁】

fán shì rén, jiē xū ài,
凡是人，皆须爱，

tiān tóng fù, dì tóng zài.
天同覆，地同载。①

xíng gāo zhě, míng zì gāo,
行高者，名自高，

rén suǒ zhòng, fēi mào gāo.
人所重，非貌高。②

【注释】

①天同覆，地同载：《礼论·孔子闲居》："子曰：'天无私覆，地无私载，日月无私照，奉斯三者，以劳天下，此之谓三无私。'"

②高：漂亮。

【译文】

无论什么人都必须互相关心和爱护，因为我们生活在同一片蓝天下，生活在同一个地球上。一个行为高尚的人，他的名望自然会高，人们所重视的并不是相貌的漂亮。

cái dà zhě, wàng zì dà;
才大者，望自大；①

rén suǒ fú, fēi yán dà.
人所服，非言大。②

jǐ yǒu néng，wù zì sī；
己有能，勿自私；

rén suǒ néng，wù qīng zǐ。③
人所能，勿轻訾。③

【注释】

①望：名望，声望。

②言大：夸大其词，吹嘘。

③訾：诋毁，怨恨。

【译文】

一个才学丰富的人，他的名声自然会大。人们所佩服的是有真才实学的人而不是自吹自擂的人。自己有才能，不能自私自利只为自己谋利。别人有才能，不能轻易地诋毁别人。

wù chǎn fù，wù jiāo pín，①
勿谄富，勿骄贫，①

wù yàn gù，wù xǐ xīn。
勿厌故，勿喜新。

rén bù xián，wù shì jiǎo；
人不闲，勿事搅；

rén bù ān，wù huà rǎo。②
人不安，勿话扰。②

【注释】

①勿谄富，勿骄贫：《礼记·坊记》：“小人贫斯约，富斯骄，约斯盗，骄斯乱。”

②扰：打扰。

【译文】

不要曲意巴结有钱人，不要对穷人骄横无礼，不要厌弃过去的故旧老友，不要只喜欢新交的朋友。当别人很忙碌的时候，不要用事去打搅。当别人心情不安的时候，不要找他说话而打扰他。

rén yǒu duǎn, qiè mò jiē;
人有短，切莫揭；①
rén yǒu sī, qiè mò shuō.
人有私，切莫说。
dào rén shàn, jí shì shàn,
道人善，即是善，
rén zhī zhī, yù sī miǎn.
人知之，愈思勉。②

【注释】

①短：缺点。

②勉：尽力，努力。

【译文】

别人有缺点，不要去揭穿；别人的隐私，切忌去宣扬。赞美他人的善行就是行善。当对方听到你的称赞之后，必定会更加努力。

yáng rén è, jí shì è,
扬人恶，即是恶，
jí zhī shèn, huò qiě zuò.
疾之甚，祸且作。①

善相劝，德皆建；
过不规，道两亏。②

【注释】

①且：将要。作：产生。

②规：规劝。亏：欠缺，亏欠。

【译文】

宣扬别人的恶行是一种恶行。如果宣扬得过分，会惹出祸患。朋友之间应该互相劝善，共同树立良好的品德修养，如果有错不能互相规劝，两个人的品德都会有损害。

凡取与，贵分晓，①
与宜多，取宜少。
将加人，先问己，
己不欲，即速已。②

【注释】

①与：给予。

②己不欲，即速已：《论语·颜渊》："己所不欲，勿施于人。在邦无怨，在家无怨。"欲，希望，愿意。已，结束。

【译文】

无论是从别人手里得到东西，还是把东西给予别人，都要分得清清楚楚。给予别人的应该多些，获取别人的应该少些。准备要求别人去做的事，首先要问一问自己愿不愿意去做。自己都不愿意做的事，就立即停止。

ēn yù bào，yuàn yù wàng；
恩欲报，怨欲忘；
bào yuàn duǎn，bào ēn cháng。
报怨短，报恩长。
dài bì pú，shēn guì duān；①
待婢仆，身贵端；①
suī guì duān，cí ér kuān。
虽贵端，慈而宽。

【注释】

①待婢仆，身贵端：《礼记·儒行》："温良者，仁之本也。敬慎者，仁之地也。宽裕者，仁之作也。"端，直、正。

【译文】

对别人的恩惠要思报答，对别人的怨恨要忘记。对别人的怨恨越短越好，对别人报恩要越长越好。对待家里的婢女男仆，最重要的是主人自身要品行端正。品行端正固然重要，但也要有仁慈宽厚的胸怀。

shì fú rén，xīn bù rán，
势服人，心不然，
lǐ fú rén，fāng wú yán。
理服人，方无言。
tóng shì rén，lèi bù qí，
同是人，类不齐，
liú sú zhòng，rén zhě xī。①
流俗众，仁者稀。①

【注释】

①众：很多。稀：稀少。

【译文】

用势力去压服别人，别人就会口服心不服；用道理去说服别人，别人才会口服心服无话可说。同样是人，但类别不一样。普通的俗人最多，而品德高尚的人很少。

guǒ rén zhě，rén duō wèi，①
果仁者，人多畏，①
yán bù huì，sè bù mèi。②
言不讳，色不媚。②
néng qīn rén，wú xiàn hǎo，
能亲仁，无限好，
dé rì jìn，guò rì shǎo。
德日进，过日少。
bù qīn rén，wú xiàn hài，
不亲仁，无限害，
xiǎo rén jìn，bǎi shì huài。
小人进，百事坏。

【注释】

①果：真正的。

②媚：谄媚。

【译文】

真正的仁者，人们对他都心怀敬畏，说话时直言不讳，脸色也不谄媚。如果能与品行高尚的仁者亲近，会得到无限的益处。与仁者亲近个人的品德就会一天比一天进步，而过失就会一天比一天减少。不接近品行高尚的仁者，会有无限的害处。这样一来，小人就会乘机亲近他，什么事都会失败。

【行有余力则以学文】

bù lì xíng, dàn xué wén, ①
不力行，但学文，
zhǎng fú huá, chéng hé rén! ②
长浮华，成何人！
dàn lì xíng, bù xué wén,
但力行，不学文，
rèn jǐ jiàn, mèi lǐ zhēn. ③
任己见，昧理真。

【注释】

①力行：勉力从事，努力去做。但：只是。

②长：滋长。

③任：听任。昧：蒙蔽。

【译文】

如果不注重实践，一味死读书，就会使自己浮华不实，这样怎能成为一个真正有用的人？如果只要一味地做事，不肯读书学习，就容易依着自己的偏见行事，而违背事理，这也是不对的。

dú shū fǎ, yǒu sān dào, ①
读书法，有三到，
xīn yǎn kǒu, xìn jiē yào.
心眼口，信皆要。
fāng dú cǐ, wù mù bǐ, ②
方读此，勿慕彼，
cǐ wèi zhōng, bǐ wù qǐ.
此未终，彼勿起。

【注释】

①读书法，有三到：朱熹《训学斋规》：“余尝谓读书有三到，谓：心到，眼到，口到。”

②方：刚，才。慕：羡慕。

【译文】

读书的方法有三到，即心到、眼到、口到。心要记，眼要看，口要读，这三者确实都很重要。正在读这本书的时候，不要去羡慕那本书，这本书还未读完，不要开始读那本书。

kuān wéi xiàn，jǐn yòng gōng，
宽为限，紧用功，①

gōng fū dào，zhì sè tōng。
工夫到，滞塞通。②

xīn yǒu yí，suí zhá jì，
心有疑，随札记，

jiù rén wèn，qiú què yì。
就人问，求确义。

【注释】

①限：期限。用功：刻苦读书。

②滞塞：困顿疑惑之处。

【译文】

在制订读书计划的时候，不妨宽松一些，实际执行这个计划时，就要严格执行。日积月累，原先

困顿疑惑之处会自然而然迎刃而解。心中有疑问，应随时用笔记下，一有机会就要立即向别人请教，以求了解其确切的意义。

fáng shì qīng，qiáng bì jìng，
房室清，墙壁净，

jī àn jié，bǐ yàn zhèng。①
几案洁，笔砚正。①

mò mó piān，xīn bù duān，②
墨磨偏，心不端，②

zì bù jìng，xīn xiān bìng。③
字不敬，心先病。③

【注释】

①几案：书桌。

②墨磨偏，心不端：《大学》：“意诚而后心正，心正而后身修，身修而后家齐，家齐而后国治，国治而后天下平。”

③敬：恭敬，整齐。

【译文】

书房要收拾得清爽，墙壁要保持干净。书桌要保持整洁，笔砚要摆放端正。如果把墨磨偏了，就说明心不在焉。字写得潦草不整齐，就说明思想不集中。

liè diǎn jí, yǒu dìng chù,
列典籍，有定处，

dú kàn bì, huán yuán chù。
读看毕，还原处。

suī yǒu jí, juàn shù qí,
虽有急，卷束齐，①

yǒu quē sǔn, jiù bǔ zhī。
有缺损，就补之。②

【注释】

①卷：卷帙，指书本。束：捆绑。

②补：修补。

【译文】

存列典籍要有固定的地方，读完一本书，一定要放到原来的地方。即使有急事不看书了，也要把书本整理好。书本有缺损，应当修补完整。

fēi shèng shū, bǐng wù shì,
非圣书，屏勿视，①

bì cōng míng, huài xīn zhì。
蔽聪明，坏心志。②

wù zì bào, wù zì qì,
勿自暴，勿自弃，

shèng yǔ xián, kě xún zhì。
圣与贤，可驯致。③

【注释】

①屏：摒弃，撇开。

②蔽：蒙蔽。

③驯：渐进。

【译文】

非圣贤之书应避而不看，因为邪僻的书会蒙蔽人的聪慧，败坏人的意志。不要自暴自弃，圣贤的境界虽高，但只要按部就班，循序渐进，人人都可达到。